Y0-BDH-755

Via delle Industrie, sn - 06083 Bastia Umbra - PG - Italia
Tel. 075 - 8011324 - Fax 075 - 8010593
Numero Verde (chiamata gratuita) 167 - 013373
Internazionale: Tel. +39-75-8011324 - Fax. +39-75-8010593

Stampato in Italia da:
"GRAFICHE DIEMME" s.r.l. - Bastia Umbra -

ISBN 88-8040-032-0

Testo: Adriano Cioci

Illustrazioni: Massimo Cruciani

Redazione: Andrea Angelucci, Giovanni Angelucci

Progetto grafico: Giovanni Angelucci

Si ringraziano per la gentile collaborazione: p. Luciano Canonici, P. Ernesto Caroli, lo scrittore Luca Desiato, la dr.ssa Rizia Guarnieri, P. Adolfo Gonzales, P. Pasquale Magro, P. Gianmaria Polidoro, il prof. Giovanni Zavarella.

Si ringraziano le edizioni Movimento Francescano - Assisi per aver concesso l'opportunità di utilizzare le traduzioni contenute in *Fonti Francescane* (1977).

Si ringraziano le Edizioni Porziuncola di Santa Maria degli Angeli - Assisi per aver concesso l'opportunità di utilizzare le traduzioni contenute in alcune opere della stessa Casa Editrice.

L'artista assisano Massimo Cruciani ha realizzato, per questo volume, trentaquattro dipinti originali su vetro a corredo della narrazione degli episodi più significativi della vita del Santo.
Egli ha inteso così lo spirito di povertà e di libertà.

Adriano Cioci

Francesco d'Assisi

Prefazione
di Luca Desiato

Illustrazioni
di Massimo Cruciani

SIGLE ED ABBREVIAZIONI

L.F.E.:	*Lettera Enciclica di Frate Elia* (redatta nell'ottobre 1226)
I Cel.:	*Vita Prima* di Tommaso da Celano (redatta tra il 1228 e il 1229)
II Cel.:	*Vita Seconda* di Tommaso da Celano (redatta tra il 1246 e il 1247)
Tre Comp.:	*Leggenda dei Tre Compagni* (redatta nel 1246)
Leg. Mag.:	*Leggenda Maggiore* di Bonaventura da Bagnoregio (redatta tra il 1260 e il 1263)
Giord.:	*Cronaca* di Giordano da Giano (ultimata nel 1262)
An. Per.:	*Anonimo Perugino* (redatto tra il 1263 e il 1279)
Arbor.:	*Arbor Vitae Crucifixae Iesus* di Ubertino da Casale (redatto nel 1305)
Spec. Perf.:	*Lo Specchio di Perfezione* (redatto da Anonimo nel 1318)
Leg. per.:	*Leggenda Antica Perugina* (redatta all'inizio del sec. XIV)
Clar.:	*Chronicon seu historia 7 tribulationum* di Angelo Clareno (redatta tra il 1325 e il 1330)
Fior.:	*I Fioretti di San Francesco*

Prefazione

Eccoci ancora una volta a parlare di quella specie di leggenda aurea *che è la vita di Francesco d'Assisi.*
Un Francesco che, già agli inizi della sua vita pubblica, fa crollare miseramente le attese mercantili del padre Pietro di Bernardone. Gente soda e concreta, questi mercanti medioevali, un'umanità conscia di valere e di osare, padrona del suo ingegno: terragna, cosmopolita e traffichina. Mentalità e ragioni di vivere che sarebbero presto entrate in collisione con quella traiettoria di respirante follia del giovane figlio di Monna Pica. Francesco rigetta in modo sconveniente *la saggezza e la convenienza di una felicità secondo la carne: avere, possedere per essere, in favore di una felicità secondo lo spirito: essere per avere tutto. L'evangelico* nihil habentes et omnia possidentes, *in quel tempo ferrigno della storia della Chiesa oscurato come una moneta persa nella polvere, diventa per il rinunciatario di Assisi una ingorda carta di credito: lo spirito dello scambio sublimato, un documento esigibile in eterno.*
Il testo di Adriano Cioci segue fedelmente l'itinerario di Francesco: crisi esistenziale, grande rifiuto della sicurezza paterna, rinunzia alle ricchezze, scandalo dei bempensanti, proselitismo e, via via, la rigida immedesimazione coi piani del sogno. Non vi è altra ricchezza assoluta che la povertà, nessun guadagno che l'amore amico, nessuna esistenza piena se non svuotando il proprio io delle preoccu-

pazioni sociali, per riempirlo di un'eco che prende corpo, una quasi panteistica immersione nel cosmo. Quello grande: luna, sole, stelle, aere, nubilo e sereno, e quello minimo: acqua, fuoco, legno, pietra. Questo è oggi, forse, il messaggio più aderente alle nostre attese di evoluzione umana esausta. Ribellione alla falsa ricchezza per un pieno di fraternità universale con gli esseri, animati e inanimati. Già il vescovo Rufino, autore di quell'importante testo, scritto proprio ad Assisi qualche anno prima della nascita di Francesco, il De bono pacis, *aveva visto nell'armonia tra gli uomini, e tra essi e il creato, il fondamento della pace. Una pace come situazione di equilibrio ontologico, di esseri in relazione. Sicuramente Francesco, e sfatiamo la leggenda di un uomo rozzo e incolto che accoglie, a braccio, idee che sono nell'aria, avrà letto questo documento, patrimonio della Chiesa assisiate, e ne avrà fatte sue le coordinate. Il Cantico delle Creature canta in realtà l'armonico equilibrio di un universo pacificato.*

Vi è, in Francesco, una relazione libera con le cose, vissute come compagni di viaggio: tutti frati e sore, siano essi elementi naturali come l'acqua, il vento, il fuoco, che gli utensili stessi, di legno o di pietra, costruiti dall'uomo. Le cose sono amabili, utili, caste. Dalla lima al fiocco di lana, dal cristallo di ghiaccio al computer.

Esse possiedono una specie di precarietà inerme.

Alle origini del francescanesimo vi è una rivoluzione del sentire. Poi è venuto l'inalveamento da parte del potere, di un certo potere spirituale incapace di grandi voli. Si erano sparsi per il mondo, i fraticelli, puntando verso i quattro punti cardinali, spinti da quel cavaliere un po' folle, al servizio di Madonna Povertà.

Povertà non come miseria materiale, ma come assoluta semplicità, nudità dello spirito in quella del corpo. Perfetta letizia sarà allora quando "bagnati per la piova e agghiacciati per lo freddo, infangati di loto e afflitti di fame, picchieremo alla porta e non ci apriranno..." *Stiamo parlando di situazioni estreme, stiamo parlando di utopia. E l'utopia francescana è uno dei frutti splendidi dell'età medioevale.*
In essa vi è sicuramente l'influsso delle dottrine di Gioacchino da Fiore: quella Terza Età del mondo che è Regno dello Spirito, nella giustizia, nell'amore, nell'armonia con la natura.
Forse Dio è morto nel mondo d'oggi, ma è proprio la gratuità di ardere per nulla a richiamarne il ricordo.
Alcune di queste idee, in varia maniera mediate, intessono questo Francesco d'Assisi *di Adriano Cioci. Un libro che attira per la limpidità del racconto e il corretto uso delle fonti storiche, che invoglierà senza dubbio il lettore.*

Luca Desiato

I
IL SOGNO DI PIETRO DI BERNARDONE

Ci sono angoli della terra dove il paesaggio palpita ancora di emozioni, dove il silenzio ha il magico potere di librare intorno colori ed atmosfere indefinibili, dove i tramonti assumono sapori di poesia, dove le ombre del crepuscolo si allungano sui muri screpolati dal tempo, dove il giorno restituisce alla notte tiepidi sussurri di vento.
E' il vento della storia, dove i secoli, pur carichi di un groviglio di contrastanti messaggi, si arricchiscono di istanti di assoluto, di intima percezione, di intuizione profonda, di attrazione cosmica. Protagonista è l'uomo, infinitesimo granello di sabbia nella clessidra dell'esistere, seme di grano nel campo dell'umanità.
Anche gli elementi di questa storia sono pregni di silenzio che non è oblìo, di emozione che non è turbamento, di poesia che non è artificio, di tramonto che non è declino. Essi non vanno alla ricerca dell'ignoto, ma del mistero divino, non aspirano al superfluo ma alla ricchezza, non cercano la gloria ma la perfezione, non sfuggono al controllo ma respirano la libertà.
C'è un angolo della terra dove tutti questi elementi si sono intrecciati, dove questi contrasti sono stati vissuti, dove il miracolo si è ripetuto. Dove ancora oggi le ceneri di quel

fuoco riescono a riscaldare gli animi più indolenti, dove l'indifferenza si frantuma ancora in un numero interminabile di cocci.
Le colline ascendono debolmente, rinunciando alle asprezze rocciose dei calcari. Nonostante ciò, la strada per la conquista del cielo è passata per questi morbidi fianchi ricoperti di erbe trapunte di papaveri.
La sagoma di Assisi si adagia su uno di questi fianchi, nella sezione nord-occidentale del Monte Subasio. Un profilo rimasto identico per secoli. Ai viandanti che percorrevano le strade nel medioevo la città appariva, di lontano, come un'ellisse allungata di colore grigio tendente al rosa. Era come un faro per i naviganti nella verde natura di un tempo.
In Provenza, nel sud della Francia, il paesaggio è, per certi aspetti, simile a questa porzione dell'Umbria. E proprio in Provenza, Pietro di Bernardone, un ricco mercante di Assisi, era solito indirizzare i propri viaggi di lavoro. La regione al di là delle Alpi lo affascinava, probabilmente perché vi trovava buoni affari ed un clima simile a quello della sua terra, segnata da colline digradanti, punteggiate di olivi e di viti. L'itinerario che percorreva, divenuto per lui usuale, risultava meno insidioso tra quelli che conducevano verso nord in quanto poco frequentato dai banditi asserragliati, per lo più, tra aspre rocce e valichi impervi.
Nel freddo inverno del 1181, di ritorno da uno di questi viaggi, Pietro di Bernardone veniva assalito da un'euforia senza precedenti, frammista ad un'ansia crescente. Alla sua partenza aveva lasciato la consorte, Madonna Pica, in procinto di dare alla luce il primo figlio.
Così, i primi vagiti del piccolo venivano accolti da Pietro con qualche giorno di ritardo. Intanto, la madre aveva

imposto al bambino il nome di Giovanni, presto cambiato in Francesco, dal padre, in onore e per amore di quella terra che aveva alimentato i sogni del mercante. Sogni di un genitore che credeva, e spesso si illudeva, di continuare a vivere, dopo la morte, trasferendo al figlio le aspettative, i traguardi del proprio stato sociale. Ne avrebbe voluto fare il prosecutore di un'attività ben avviata, un consolidatore del patrimonio, avrebbe voluto che acquisisse un titolo gentilizio, elemento indispensabile nella società del tardo medioevo. Sarebbe dovuto diventare, insomma, una notevole figura cittadina per lasciare almeno una traccia nella vita di tutti i giorni.
Non si sbagliava Pietro di Bernardone. Suo figlio, per una strada completamente nuova e diversa, era "destinato" alle più alte imprese dello spirito. Ma non avrebbe raggiunto ciò che il padre desiderava.
Quel figlio attirava, naturalmente, le preoccupazioni e le speranze dei genitori. I progetti su di lui tenevano vive le discussioni dei coniugi. Eppure, sull'educazione impartita non si è fatta mai vera luce: *...fin dal principio della sua vita fu male educato dai genitori, secondo le vanità del mondo; ed egli stesso, imitando a lungo la vita e i costumi loro, divenne ancor più frivolo e vanaglorioso (I Cel. 1).* Ma quanto credito si possa dare a queste parole, seppure riferite da Tommaso da Celano, il maggiore biografo del Santo, è difficile dirlo. Più duro nei giudizi è Giordano da Giano: *...giacché dalla sua prima età allevato in modo sconveniente nelle vanità del mondo, diventò più vano ancora de' suoi allevatori. A dir in breve costui era tutto inteso alla misera felicità e gloria mondana...* La troppa rigidezza di quei giudizi teneva poco conto delle problematiche nel rapporto genitori-figlio, mentre, in retrospettiva,

troppo pesava il fatto che si trattasse della fanciullezza di un Santo. Insomma, "testimonianze" condizionate dagli eventi successivi.

L'agiatezza della famiglia e l'assenza di grandi sacrifici, se non quelli legati ad una sorta di rispetto formale nei confronti dei genitori, conducevano Francesco ad un'esistenza serena. Non per questo del tutto priva di impegni tra cui gli studi e l'aiuto, seppur marginale, nella bottega del padre: ... *anche se da giovane visse nelle vanità del mondo, come i vani figli degli uomini e, acquistata una certa istruzione letteraria, ebbe ad incamminarsi nelle lucrose attività del commercio, tuttavia, sempre assistito dall'alto, non seguì mai le voluttà della carne, sebbene fosse piuttosto incline al godimento e vivesse tra giovani gaudenti. Così pure, sebbene fosse intento a fare buoni guadagni e vivesse tra mercanti ingordi, tuttavia non attaccò mai il suo cuore al denaro (Leg. Mag. I 1).*

Ancora più assennato e rispettoso Francesco appare nella testimonianza personale che Leone, Angelo e Rufino, daranno nella *Leggenda dei Tre Compagni*, scritta dopo la morte del Santo e datata Greccio 11 agosto 1246: *Per indole, era gentile nel comportamento e nel conversare. E seguendo un proposito nato da convinzione, a nessuno rivolgeva parole ingiuriose o sporche; anzi, pur essendo un ragazzo brillante e dissipato, era deciso a non rispondere a chi attaccava discorsi lascivi. Così la fama di lui si era diffusa in quasi tutta la zona, e molti che lo conoscevano, predicevano che avrebbe compiuto qualcosa di grande (Tre Comp. 3).*

Il giovane Francesco era quindi piuttosto giudizioso, non per questo alieno alle amicizie e agli scambi di esperienze che spesso sfociavano in allegria. In tali "brigate"

sfoggiava estro e fantasia. Ne sapeva sempre una più degli altri, conquistando il titolo di "capo".
Con il trascorrere degli anni quelle peculiarità emergevano ancora di più. Negli studi era sveglio e intelligente, apprendeva subito i concetti del calcolo aritmetico ed il suo apporto fattivo nell'attività paterna aumentava. Questo riempiva di gioia Pietro di Bernardone che andava in visibilio nell'immaginare una bottega più ricca con Francesco che ne esercitava la conduzione.
Anche nelle relazioni sociali riusciva sempre a distinguersi, grazie a doti di ottimo intrattenitore, di indiscusso organizzatore di banchetti che si accompagnavano ad allegri canti di gioventù.
Il rapporto con la madre, Madonna Pica (o Giovanna), era probabilmente improntato sulla dolcezza e sul rispetto. A tale riguardo, però, i biografi sono avari di precisazioni. A lei si riferiscono sempre in funzione di fatti importanti nella vita di Francesco, senza scendere in descrizioni particolari, se non in rarissimi casi: *Quella donna, amica della più alta onestà, portava nei costumi quasi il segno visibile della sua virtù, avendo avuto il privilegio di una certa somiglianza con l'antica santa Elisabetta, tanto per il nome imposto al figliuolo, quanto per il dono dello spirito profetico (II Cel. 3).* A volte, Madonna Pica confidava ai conoscenti che il figlio, per l'indole che possedeva, sarebbe diventato un seguace di Dio.
Come altri giovani, anche Francesco sentiva forte il senso della patria, della sua terra: Assisi. A soli diciassette anni rumoreggiava anch'egli quando, in città, giunta la notizia di una possibile debolezza dell'impero, a seguito della morte di Enrico IV, si anelava ad una maggiore autonomia. Si sarà trovato, insieme agli altri cittadini, sotto le mura

poderose della Rocca, a cercare spiragli e varchi non tanto nelle pietre quanto nell'esuberanza del suo animo giovanile. Sul finire del XII secolo, anche la voce di Francesco si alzava contro lo strapotere dei nobili assisani che furono costretti, a seguito di un tumulto popolare, a rifugiarsi nella vicina Perugia.

II
UN CAVALIERE AL TRAMONTO

Francesco agli eventi terreni faceva fronte con serenità e grazia, elementi che in lui si coniugavano con la vitalità della giovinezza. Anche il coraggio era una virtù ben presente, la quale non scadeva mai nell'imprudenza, seppure più d'uno abbia voluto rilevare, in certi atteggiamenti, punte di spregiudicatezza.

Poco più che ventenne si era unito alla lotta contro i nobili di Assisi, aiutati dai perugini. I combattenti delle due città si affrontarono in campo aperto, ma la disparità tra le forze era così evidente che gli assisani riportarono notevoli perdite. A Francesco e a tanti compagni d'armi venne riservata una lunga prigionia. Dieci mesi nelle carceri perugine lo fiaccarono nel fisico, ma non nello spirito. Era lui che sosteneva gli altri sventurati nei momenti più difficili, alleviando le interminabili giornate dietro le sbarre con parole di conforto. Nel 1203 Pietro di Bernardone riusciva a farlo liberare dietro un oneroso riscatto. Quando le grate delle segrete perugine si sollevarono, gli occhi di Francesco brillavano ancora di vitalità, ma il fisico era duramente provato. Forse era giunto il momento di abbandonare la protesta, le armi, i sogni di esaltazioni terrene e di abbracciare a pieno titolo la professione del commercio. Era quella l'aspettativa del padre e la

speranza di Madonna Pica, seppure in lei i dubbi sovrastassero le certezze intorno alle decisioni che Francesco avrebbe preso. Ella intuiva, comunque, che i momenti di gloria non avrebbero abbandonato il figlio e che quella stessa gloria non sarebbe stata in relazione con i fatti d'arme, ma piuttosto legata a qualcosa di più nobile, di sublime, pur nella sofferenza.
La malattia che già l'aveva colpito nelle carceri lo assaliva di nuovo e con maggiore violenza. La lunga degenza, il ricordo della prigionia, la solitudine, crearono in lui, probabilmente, i presupposti per una scoperta più profonda della propria interiorità. Fisicamente ristabilito, tornò nella bottega paterna. Tenerla in ordine, ripartire negli scaffali la merce appena arrivata, servire i clienti erano compiti che gli riuscivano congeniali.
Un giorno un mendicante, forse uno dei tanti, ma poteva anche non essere così, si affacciò alla porta del magazzino. Non pose molta attenzione ai brandelli sfilacciati di quegli abiti. Non degnò il povero nemmeno di uno sguardo e continuò il suo lavoro. Ma i passi del mendicante sull'acciottolato risuonarono come battiti di tamburo nel suo cuore. *"Abituato da mia madre e dalla consuetudine delle chiese che avevo frequentato fino allora, avevo sempre pensato che eravamo noi ricchi e benestanti a salvare i poveri. Essi, i poveri, dipendevano da noi e la nostra generosità era la loro salvezza; senza di noi sarebbero stati destinati alla morte"* (Carlo Carretto, *Io, Francesco*). Lasciò le stoffe, si precipitò all'uscio, fu in strada: una figura goffa e ondeggiante aveva appena voltato l'angolo del vicolo. Ma la corsa di Francesco ebbe la meglio.
L'episodio, enfatizzato da chi l'ha tramandato, è rimarchevole sì di buoni auspici, ma rappresenta solamente un assal-

to alla coscienza ed anche una promessa. Così, per non disattendere più quelle semplici richieste: *...con grande dolcezza, gli diede l'elemosina, promettendo ancora al Signore che d'allora in poi non avrebbe mai negato nulla, secondo le sue possibilità, a chi gliela avesse chiesta "per amore di Dio" (Leg. Mag. I 1).* Ovunque se ne presentava l'occasione era ormai pronto a donare una parte di se stesso.
Anche il "re delle feste" era ormai al tramonto. Lo scettro di giullare e di grande improvvisatore passava ad altri. Gli amici, incuriositi e preoccupati, credettero che per lui fosse giunto il momento del vero amore. E Francesco lo lasciò credere, ma quel sentimento non si rivolgeva verso una sposa terrena. La sua "sposa" era più ricca delle altre!
Lo scoprirsi innamorato lo rendeva inquieto. Occorreva indagare intorno a quello stato d'animo. Doveva abbandonare quelle "stoffe" che lo legavano ad esperienze futili. Forse la gloria, che in passato aveva perseguito, ora gli mancava. Così, credette di trovare la luce rispolverando la vecchia armatura e unendosi ad altri giovani desiderosi di diventare cavalieri. Insieme avrebbero raggiunto le Puglie, al servizio di un nobile conte. Vediamo come quei momenti vengono raccontati dal Celano: *Una notte adunque, mentre era tutto intento ai preparativi, e arso dal desiderio di partire, Quegli che lo aveva percosso con la verga della giustizia lo visitò in sogno con la dolcezza della grazia, e lui cupido di gloria allettò ed esaltò col fastigio della gloria stessa. Gli sembrava di avere la casa piena di armi, cioè selle, scudi, lance ed altri ordigni guerreschi; e tutto rallegrandosene riguardava attonito, pensando tra sé che cosa ciò fosse. Infatti non era avvezzo a vedere tali arnesi in casa sua, ma piuttosto monti di panni da vendere. E mentre rimaneva non poco stupito per l'improvviso avvenimento, gli fu detto che tutte quelle*

armi eran per lui e per i suoi soldati. Destatosi con l'animo ancor pieno di gioia al mattino si alzò e, interpretando la visione come un presagio di grande prosperità, si teneva sicuro della buona riuscita del suo viaggio nelle Puglie. Ma non sapeva che si dicesse e non conosceva ancora il dono mandatogli dal cielo. Tuttavia avrebbe potuto capire che la sua interpretazione della visione non era giusta, perché, sebbene essa avesse un certo rapporto con le gesta guerresche, pure non gli dava la gioia che era solito provare fino allora al pensiero dell'impresa; doveva anzi quasi farsi forza per condurre a termine que' suoi disegni e mandare ad effetto la spedizione agognata (I Cel. 3). Nel sogno un personaggio gli svelò che ogni cosa sarebbe stata sua e dei suoi cavalieri. Ma giunto a Spoleto un altro sogno, nella notte, lo colse. Una voce gli disse: "Non puoi abbandonare il Signore per servire un servo. Torna indietro e segui le parole che ti saranno dettate".
Fu così che allontanò definitivamente l'idea delle armi e delle spedizioni militari. Si ritrovò in Assisi a scrivere la grande storia di se stesso. Correva l'anno 1205.

III
UN BACIO ED UNA VOCE: L'ITINERARIO EBBE INIZIO

Cadde nuovamente malato. La debilitazione fisica che lo costringeva entro le mura della propria casa sollecitava in lui la meditazione. Riacquistò la serenità quando, superata la fase della convalescenza, si dette a lunghe passeggiate a piedi, fuori le porte di Assisi o a cavallo, in escursioni di più ampio raggio, tra i boschi del Subasio o nella pianura, tra i cerri della Porziuncola.
In una delle uscite si trovò davanti, all'improvviso, una figura vestita di stracci, orribile nel volto, con bende sudicie avvolte intorno alle braccia e ai piedi: un lebbroso!
D'istinto arrestò il cavallo e invertì la direzione per darsi alla fuga. Ma quel girare le spalle durò un tempo effimero. Ricordò il mendicante che aveva bussato al fondaco paterno? E' difficile dirlo.
Si ritrovò davanti a lui, aggrappato ai suoi occhi forse più intimoriti dei propri. E mentre il braccio, quasi con un gesto a rallentatore, si spostava in avanti per cercare la mano del lebbroso, nasceva un uomo nuovo, depurato degli indugi terreni e non più alimentato dalle glorie quotidiane. Un uomo che si apriva agli altri per percorrere - ne era consapevole - la strada dell'amore.

L'abbraccio al lebbroso, il bacio della mano, l'offerta dei denari rappresentano particolari inequivocabili di un itinerario di conversione. Raccontano le fonti: *Trascorsi pochi giorni, prese con sé molto denaro e si recò all'ospizio dei lebbrosi; li riunì e distribuì a ciascuno l'elemosina, baciandogli la mano. Nel ritorno, il contatto che dianzi gli riusciva repellente, quel vedere cioè e toccare dei lebbrosi, gli si trasformò veramente in dolcezza (Tre Comp. 11).*
Era "pazzo" Francesco, così lo definivano in molti. Ma a lui non preoccupava il giudizio del momento. Salutò gli amici, in un'ultima cena d'allegria, e prima di rientrare a casa alzò gli occhi verso il cielo, estasiato dalle costellazioni dell'universo.
Qualche giorno dopo era a Roma, a pregare, inginocchiato davanti ai sepolcri di Pietro e di Paolo, a vuotare il sacchetto dei denari, tra l'incredulità della folla: *Entrato nella basilica di San Pietro, notò la spilorceria di alcuni offerenti, e disse fra sé: "Il principe degli Apostoli deve essere onorato con splendidezza, mentre questi taccagni non lasciano che offerte striminzite in questa basilica, dove riposa il suo corpo". E in uno scatto di fervore, mise mano alla borsa, la estrasse piena di monete di argento che, gettate oltre la grata dell'altare, fecero un tintinnìo così vivace, da rendere attoniti tutti gli astanti per quella generosità così magnifica. Uscito, si fermò davanti alle porte della basilica, dove stavano molti poveri a mendicare, scambiò di nascosto i suoi vestiti con quelli di un accattone. E sulla gradinata della chiesa, in mezzo agli altri mendichi, chiedeva l'elemosina in lingua francese. Infatti, parlava molto volentieri questa lingua, sebbene non la possedesse bene. Si levò poi quei panni miserabili, rindossò i propri e fece ritorno ad Assisi. Insisteva nella preghiera, affinché il Signore gl'indicasse la sua vocazione (Tre Comp. 10).*

Quanto scritto dai Tre Compagni in parte contrasta con i riferimenti di altri biografi sull'argomento. Qualcuno afferma che vendette gli abiti preziosi ed il cavallo, calzandosi alla meglio e vestendo, anche durante il viaggio di ritorno, panni da mendicante.
I giorni seguenti andò a San Damiano (vi era già stato qualche tempo prima), una diruta chiesetta sulla digradante collina degli olivi. La pace e la tranquillità del luogo lo disponeva alla preghiera. In precedenza aveva posto davanti al Crocifisso la sua nudità devozionale: "Che cosa debbo fare, o Signore, affinché possa vedere la strada? "
Rimase sgomento davanti alla voce che gli indicava la casa di Dio in rovina. Pur stordito, ammaliato, ammutolito, credette di poter eseguire l'ordine ponendo rimedio alle mura cadenti.
Entrato nella chiesetta fissò nuovamente il Crocifisso appeso al muro. La stessa voce che aveva udito precedentemente gli scosse la coscienza: "Va', Francesco, ripara la mia casa che cade in rovina". Il messaggio era stato forte, ancora una volta. Ma non poteva pensare che il riferimento non era alle decrepite pietre di San Damiano quanto alla Chiesa nella sua universalità. Così sottrasse le stoffe dalla bottega paterna; al mercato di Foligno vendette tutto per acquistare il materiale occorrente al restauro del luogo di culto.
Volle subito tornare a San Damiano; qui trovò un sacerdote al quale espose il suo piano di ripristino della chiesetta e la sua volontà di lavorare alla ricostruzione. Il sacerdote ne fu felice, ma davanti ai denari ricavati dalla vendita delle mercanzie a Foligno indietreggiò, ben immaginando quali reazioni avrebbe avuto Pietro di Bernardone. L'atteggiamento del religioso ingenerò disappunto nel giovane il quale trasse il sacchetto delle monete e lo lanciò, da una

finestrella, all'interno del cadente edificio. Era un gesto simbolico: il rifiuto del danaro e con esso il rifiuto di tutto ciò che era vano, superfluo, provvisorio.
Dimorò per alcuni giorni in quel luogo di solitudine, iniziando a riattare la chiesetta. Ma avvertito che il padre era sulle sue tracce, intimorito dalla sua reazione, si rifugiò in una grotta sui deboli pendii della collina. Vi rimase nascosto per un mese, uscendo soltanto in pochissime occasioni. Mangiava raramente, nel buio dell'antro, trascorrendo interminabili ore nel pianto e nella invocazione di Cristo, l'unico che poteva liberarlo da quella frustrante situazione, l'unico che poteva accendere in lui il coraggio necessario per vincere l'incertezza e il disagio.
Arrivò, infine, il coraggio, per bontà divina, ed uscì allo scoperto: era pronto ai rimproveri e alle minacce del padre e agli insulti dei concittadini. Intanto, il ricavato della vendita delle stoffe non era stato sufficiente per terminare la riparazione di San Damiano. Occorreva vestire i panni di chi elemosinava pietre e sabbia da impastare.
Quando attraversò la città era pronto a ricevere lo scherno e la derisione della gente.
Nei volti dei conoscenti, superato un primo momento di curiosità e di costernazione, si dipinse l'espressione di chi credeva di trovarsi di fronte ad un forsennato, ad un pazzo. Reagirono con il riso, con il divertimento, poi con la derisione. Qualcuno raccolse pietre e fango, lanciandoli addosso a Francesco. Egli non si curò di quelle beffe, di quegli oltraggi, di quelle umiliazioni.
Naturalmente, quel trambusto giunse alle orecchie di Pietro di Bernardone che scese in strada e, orientato dal vociare nei vicoli, raggiunse il figlio.
Il fango sul corpo di Francesco si depositava sul cuore del

padre, riempiendolo di dolore e di sofferenza. Ogni insulto nei confronti del figlio era un insulto nei suoi confronti, ogni silenzio del figlio suonava come una pugnalata nel suo petto, ogni sguardo impietoso sulla carne della sua carne era un'offesa al suo prestigio di mercante, di uomo e genitore.

Così, la pazienza giunse al limite. Nella sua mente si accumularono tutte le folli "scorribande" del figlio, presenti e passate. Lo aggredì con le parole e con le mani. Lo condusse a casa, come si riporta un figlio impertinente. Con l'amarezza della madre si andava, inevitabilmente, allo "scontro" finale. Pietro lo rinchiuse in un bugigattolo, visitandolo di tanto in tanto, parlandogli e percuotendolo. Si legge: *Francesco non si lasciò smuovere né dalle parole né dalle catene né dalle percosse. Sopportava tutto con pazienza, diventando anzi più agile e forte nel seguire il suo ideale. Senonché il padre fu costretto a partire da casa per un affare urgente, sicché il prigioniero restava solo con sua madre. Questa, non approvando il modo di fare del marito, rivolgeva al figlio discorsi affettuosi, senza però riuscire a stornarlo dai suoi propositi. Vinta dall'amore materno, un giorno essa ruppe le catene e gli permise di andar via libero. Francesco rese grazie a Dio onnipotente, e tornò al luogo dove era stato prima. Si muoveva adesso con più libertà, dopo essere stato allenato dalle tentazioni dei demoni e ammaestrato dalle avversità (Tre Comp. 18).*

Così la madre si rendeva "complice" di quella "pazzia". In lacrime, lo liberava, pur sapendo che quella libertà equivaleva alla perdita terrena del suo amatissimo Francesco. Un distacco che pesava come un macigno. La reazione del padre, davanti a quella "liberazione" risultò furiosa. Rimproverò Pica aspramente, accusandola di complicità, di

comportamento scorretto che avrebbe nociuto al buon nome della famiglia. Ma questa volta Francesco non fuggì davanti al padre; ormai, in nome di Cristo, avrebbe superato ogni momento difficile. Erano lontane le giornate di paura vissute nella grotta. Pietro di Bernardone, accecato dall'ira, credette di alleviare il suo stato di confusione e di delusione andando a recuperare quei denari che il figlio aveva "gettato" nella finestrella di San Damiano.
Ma con quel gesto aveva placato solo una parte del suo diritto. Doveva fare di più: condurre il figlio davanti al giudizio dei Consoli di Assisi.
Francesco rifiutò il tribunale civile, affermando di aver ricevuto direttamente da Dio la propria libertà, ma decise di sottostare a quello ecclesiastico. Così, insensibile alle minacce di disconoscimento da parte del padre, se non avesse rinunciato alla propria eccentricità, si preparava all'incontro con il vescovo Guido II. Un momento che sigillerà l'atto ufficiale della sua conversione.

IV
"PADRE NOSTRO CHE SEI NEI CIELI"

Quanto erano state assurde le speranze di quel padre! Quanto lancinanti gli sguardi decisi e sereni di quel figlio! Quanti padri avrebbero assunto il comportamento di Pietro di Bernardone? Caliamoci nella società di otto secoli fa e poniamoci nei panni di chi si sente "sfuggire" il figlio, giorno dopo giorno. Ci saremmo comportati come lui? E' troppo semplice rispondere di no. Inoltre, il risentimento di Pietro stava tutto nell'essersi visto defraudare di stoffe e di panni preziosi? Oppure era stato infangato il buon nome della famiglia? Sono giudizi riduttivi che i biografi tradizionali del Santo hanno utilizzato non tanto per sete di verità, quanto per enfatizzare ancora più l'alone del personaggio "Francesco". Così, hanno dipinto il padre come colui che si frapponeva al cammino verso la Verità, non occupandosene più quando la strada era ormai intrapresa. Insomma, un "vuoto a perdere". Giustamente alcuni biografi moderni hanno dato del mercante una diversa interpretazione, esprimendo un giudizio più equo. In effetti è intuibile che le ragioni di tanta amarezza non fossero collegate soltanto all'aspetto economico, bensì alla sfera del sentimento, dell'emozione di sentirsi genitore. Occorre capire che Pietro di Bernardone non voleva opporsi al corso della storia, ma intendeva fruire, egoisticamente se

volete, delle preoccupazioni e delle gioie, degli sguardi e degli atteggiamenti di un figlio che fosse soltanto frutto dei tempi e non animatore dell'umanità intera. Non era pochezza d'animo la sua; era soltanto la visione terrena di chi non sapeva intuire oltre Assisi ed oltre la Provenza. Non è difficile, così, immaginare un uomo straziato dal dolore e la turbolenza di un'anima in pena. Gli insulti della gente indirizzati nei confronti di Francesco erano dardi incandescenti nel cuore di quel genitore, la cui sagoma, spiando, si appiattiva sempre più dietro l'angolo della strada. Piangendo, sicuramente, lacrime di nostalgia.
Guido II, che era uomo di grande saggezza, si rivolse al giovane con queste parole: "Tuo padre è molto contrariato per i disagi che gli hai arrecato, per lo scompiglio che hai inferto alla sua famiglia, per le perdite che hai fatto subire alla sua attività. Quindi, rendigli ciò che gli appartiene perché il Signore non gradisce quei denari che ingiustamente hai sottratto. Egli è talmente grande che saprà fornirti ciò di cui hai bisogno per la tua opera".
Tra la costernazione dei presenti, Francesco si spogliò degli abiti che aveva addosso, rimanendo completamente nudo. Era una privazione materiale? Senza dubbio. Ma soprattutto era un ineguagliabile arricchimento dello spirito, un gesto dalle emblematiche implicazioni trascendentali: *"Ascoltate tutti e cercate di capirmi. Finora ho chiamato Pietro di Bernardone padre mio. Ma dal momento che ho deciso di servire Dio, gli rendo il denaro che tanto lo tormenta e tutti gli indumenti avuti da lui. D'ora in poi voglio dire: - Padre nostro, che sei nei cieli -, non più - padre mio Pietro di Bernardone -" (Tre Comp. 20).*
Il messaggio era chiarissimo. Francesco sposava la povertà, quella povertà che si era guadagnata a colpi di silenzio, di

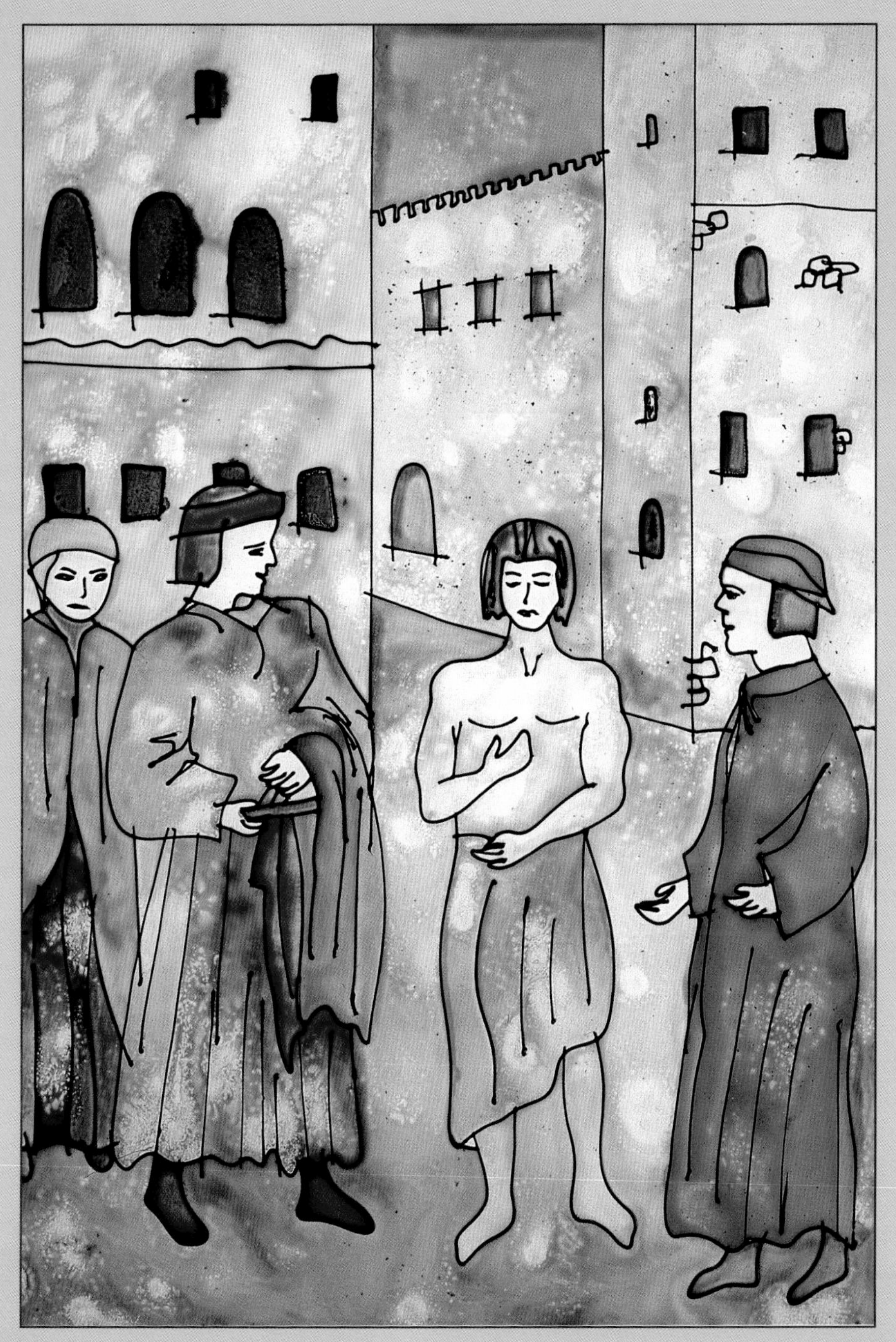

coraggio, di rinuncia. Le sue parole risuonavano come il macigno che sprofonda nello stagno: "D'ora in poi il Padre mio, ed il vostro, è quello che è nei cieli. La mia fiducia, la mia preghiera, sarà rivolta a Lui". E le onde di ritorno nello stagno lasciavano impietriti i personaggi che assistevano alla scena.
Lo scherno lasciava il posto alla meditazione, il riso alla serietà, il dubbio alla certezza. Il vescovo lo coprì con un panno, per nasconderne la nudità, ma non spense in quel corpo il calore e la luce di cui l'umanità aveva bisogno.
Gli storici hanno spesso dato all'episodio un'importanza inferiore alla vera portata dell'evento, quasi che la "rinuncia", davanti a Guido II, facesse parte di un tassello sì consistente, ma al pari di tanti altri. Invece, l'aver consegnato a venticinque anni (siamo nel 1206) la sua esistenza alla Chiesa, rappresentava il momento culminante della conversione. Essa veniva non soltanto ufficializzata, ma quel che più conta è che da quella data si poteva dare atto di un effettivo cambio di vita. Apparirà, in seguito, un Francesco meno trasognato, ma anche più proiettato verso il sogno, un Francesco più sicuro, ma anche più desideroso di dubbi, un uomo sempre meno pronto ad accettare un cammino insignificante.
Da quel momento si aprirà un capitolo nuovo nella storia di Assisi ed in quella dell'umanità. Cambieranno i personaggi, certamente non il protagonista. Scompariranno (o quasi) le figure dei genitori: il padre tornerà ad essere mercante di stoffe, con quanto entusiasmo, questo non ci è permesso di dirlo; la madre, Madonna Pica, vivrà non solo del ricordo del figlio, ma della consapevolezza di aver dato al mondo l'uomo che si attendeva da tempo.
All'orizzonte si profileranno nuovi modi di vita. E Francesco non sarà più solo nella "pazzia".

V
IL RESTAURATORE DI CHIESE

Eloquentissimo, ilare nel volto e di aspetto benigno, non pigro, non altezzoso. Era di statura mediocre, accostantesi al piccolo; aveva testa regolare e rotonda, viso un po' lungo e sporgente, piccola e piana la fronte, di giusta grandezza gli occhi neri e pieni di semplicità, capelli neri, sopracciglia diritte, naso regolare sottile e diritto, orecchie staccate ma piccole, tempie piane, lingua insinuante ardente e acuta, voce vibrante dolce limpida e sonora, compatti i denti uguali e bianchi, labbra piccole e sottili, barba nera e rada, collo fine, spalle diritte, braccia corte, mani scarne, dita lunghe, unghie sporgenti, gambe snelle, piedi piccoli, pelle delicata (I Cel. 83).

E la grande avventura ebbe inizio. Percorrendo strade e sentieri di quella terra estatica, cantando le aurore e i tramonti, dialogando tra sé e con gli altri, in francese, in latino, in volgare. Coprendo il corpo alla meglio, sfidando il freddo, la neve, la pioggia. Si sentiva "Araldo di Dio". Ma l'umanità non capiva quei primi messaggi che partivano dal suo cuore. Così, donando un sorriso non riceveva carità, offrendo mano d'opera non aveva in cambio che un pezzo di pane raffermo. Ma era quello che chiedeva. Con gioia e libertà, entrambe conquistate a pieno titolo, avrebbe "dominato" il mondo intero. Le disavventure non lo rattristavano né lo

atterrivano. Alcuni briganti, lungo la strada che conduceva a Gubbio, furono attirati da quell'uomo coperto di cenci che dialogava e cantava ad alta voce "le lodi al Creatore di tutte le cose". Credendolo esaltato, lo schernirono, lo malmenarono ed infine lo gettarono sulla neve. Il "Penitente di Assisi" non abbandonò quello stato di gaudio in cui viveva, anzì rotolò ancora di più sulla neve. E quando i banditi si allontanarono, riprese il cammino. Sostò alcuni giorni in un monastero ove svolse, in cambio di frugalissimo cibo, i lavori più umili. Ma i suoi cenci erano ormai da gettare. Chiese ai monaci di poter avere il più deteriorato degli abiti; non trovò disponibilità. Ricordò che nella vicina Gubbio abitava un suo vecchio conoscente, Federico Spadalunga, il quale lo rifocillò e gli dette l'abito che desiderava. Sicuramente, Francesco scelse una tonaca grezza, una corda per tenerla stretta in vita, forse dei sandali. Poi, vedendo che a Gubbio la gente sì lo ascoltava, ma non riusciva a comprendere appieno il messaggio di carità, di povertà e di fraternità, decise di rimandare il contatto con gli eugubini e si stabilì per qualche tempo in un lebbrosario, curando amorevolmente le ferite di un "gregge" ripudiato.
Eppure il grande sogno non era lì. Il richiamo della chiesetta di San Damiano, il cui recupero era rimasto incompiuto, divenne così forte che presto riprese il cammino di ritorno verso la sua città. Qui alternò le prediche con la ricerca di materiale occorrente al restauro: *"Chi mi dà una pietra, avrà una ricompensa; chi due pietre, due ricompense; chi tre, altrettante ricompense!" (Tre Comp. 21).* Nello stesso tempo doveva risolvere il problema della sopravvivenza. *"Il pensiero di esser sfamato, vestito, guidato da Dio stesso mi esaltava e nessuna forza al mondo mi avrebbe convinto a cambiare idea. Mettere da parte anche pochi soldi, tenere*

*una dispensa, comprare una casa sarebbe stato per me una mancanza di fiducia nel mio Signore" (*Carlo Carretto, *Io, Francesco).*
Il sacerdote che sovrintendeva a San Damiano si era preso cura di Francesco, ma il giovane, ritenendo quei cibi troppo abbondanti e prelibati, fu colto da sensi di colpa. Allora ripercorse le strade di Assisi con una ciotola in mano. Avrebbe accettato, per il suo stomaco, soltanto i rifiuti, il frutto di quella elemosina: *Quando volle mangiare quell'intruglio, la prima reazione fu la nausea; una volta, nonché mangiare quella incresciosa poltiglia, non avrebbe neppure resistito a guardarla. Ma seppe vincere la ripugnanza e cominciò a mangiare; gli sembrò di provarci più gusto che non ad assaporare una squisitezza (Tre Comp. 22).*
Insieme ad altri volenterosi (*"Venite, aiutatemi in questi lavori! Sappiate che qui sorgerà un monastero di signore, e per la fama della loro santa vita, sarà glorificato in tutta la chiesa il nostro Padre celeste" (Tre Comp. 24)* condusse a termine quella prima opera di ricostruzione. Francesco già prefigurava, per San Damiano, un futuro di grande espressione evangelica; preparava con estremo fervore la dimora per Chiara e le consorelle. Chiara di Assisi, in quel periodo, viveva la sua adolescenza; aveva quattordici anni. Rivelerà la sua vocazione soltanto cinque anni più tardi. Ma sicuramente le gesta di Francesco non le erano del tutto indifferenti. Se il suo essere ancora giovanissima non le permetteva di aiutare materialmente il "Penitente" di Assisi a porre pietra su pietra a San Damiano, sicuramente seguiva i progressi nel restauro della chiesetta. Probabilmente, di nascosto, eludendo la sorveglianza dei genitori, al riparo di qualche cespuglio, avrà osservato ciò che accadeva intorno a quel cantiere sognando, forse, sin da allora, di

entrare nella Casa che Francesco sistemava per Lei.
Conclusa l'esperienza a San Damiano volse il suo impegno verso un altro edificio che cadeva in rovina, quello di San Pietro della Spina. Poi scese più a valle, attirato dalla chiesina detta della Porziuncola, anch'essa bisognosa di restauri. Quel tempietto avrebbe assunto, più tardi, un'importanza assoluta, divenendo un sicuro faro per i naviganti di tutti i mari.
Lavorò alla chiesetta dedicata a Maria per molti mesi, almeno sino al febbraio del 1208, quando venne celebrata la prima messa, il giorno 24. Il sacerdote officiante, accorso forse per curiosità al richiamo della piccola campana tornata finalmente al suo posto, su richiesta del giovane dette ulteriore spiegazione della predica: *Il sacerdote accondiscese, dicendogli tutti i particolari, e Francesco all'udire che i discepoli di Cristo non debbono possedere né oro, né argento, né denaro, né portare bisaccia, né tasca, né pane, né bastone per via, né avere calzari, né due tonache, ma solo predicare il regno di Dio e la penitenza, di scatto, esultante di divino fervore: "Questo è ciò che voglio, questo è ciò che chiedo, questo bramo con tutto il cuore di fare " (I Cel. 22).*
A quel punto si privò dei calzari e del bastone. L'abito di Francesco si componeva così di un sacco bucato che permetteva alle braccia e alla testa di essere libere. La vita si cingeva di una corda.
Era il risveglio della cristianità, il sepolcro dei secoli che iniziava a riaprirsi, il canto dei giusti che tornava ad essere ascoltato.

VI
INSIEME, A "GRIDARE" IL VANGELO

Il messaggio trovò entusiasti, finalmente, alcuni adepti. La tradizione indica come primo Bernardo di Quintavalle. Costui, di ricca famiglia, conosceva da tempo Francesco e ne spiava, in silenzio e in disparte, il comportamento e le prediche. Un giorno, non potendo più vivere nel continuo rimorso di un'esistenza agiata, avvicinò il Poverello e gli si confidò. Così la storia si ripeteva, la fortuna di Bernardo venne distribuita ai poveri della città, tra la beatitudine del Penitente, che da quel momento non sarebbe stato più solo, e la "rabbia" dei familiari. Di lì a poco, un secondo assisano, Pietro di Cattanio, giurista, anch'egli di condizione agiata, si associò. Ora i "pazzi" erano tre e presto sarebbero diventati molti di più. Arrivò Egidio, figlio di contadini; non era ricco, ma gli fu chiesto di privarsi delle sue cose. Non esitò a donare il mantello, unico oggetto che possedeva.

I quattro soggiornarono nei pressi della Porziuncola, osservando regole e comportamenti assai rigidi: preghiera e lavoro, con il sostegno della gioia e della fraternità che sortivano dal cuore.

Il gruppo era compatto e deciso. Poteva iniziare la seconda fase di quel grande cammino: la predicazione. Questo voleva Dio da Francesco e dai suoi compagni. Dovevano portare la parola nel mondo affinché la salvezza dell'anima potesse essere non soltanto di pochi.

Certamente, non si possono nascondere le difficoltà iniziali incontrate dai compagni del Santo. Una cosa era veder mendicare Francesco ed un'altra era mendicare, un conto era veder mangiare i cibi scartati dagli animali ed un conto mangiarli. Osservare e prestare solidarietà risultava possibile, ma tentare di essere ascoltati e capiti era tutt'altro. Questi primi compagni erano mossi da grande fervore e sentimento, ma il tradimento e l'emozione, pronti all'agguato, potevano nascondersi in molteplici situazioni. Spesso Francesco interveniva con il conforto, ma anche ribadendo precise regole.
Così, in anticipo sul primo breve viaggio di predicazione, disse loro: *"Non abbiate paura di essere ritenuti insignificanti o squilibrati, ma annunciate con coraggio e semplicità la penitenza. Abbiate fiducia nel Signore, che ha vinto il mondo! Egli parla con il suo Spirito in voi e per mezzo di voi, ammonendo uomini e donne a convertirsi a Lui e ad osservare i suoi precetti. Incontrerete alcuni fedeli, mansueti e benevoli, che riceveranno con gioia voi e le vostre parole. Molti di più saranno però gli increduli, orgogliosi, bestemmiatori, che vi ingiurieranno e resisteranno a voi e al vostro annunzio. Proponetevi, in conseguenza, di sopportare ogni cosa con pazienza e umiltà" (Tre Comp. 36).*
Davanti a quelle parole i compagni temettero di non essere all'altezza del compito loro affidato, ma Francesco li rincuorò predicendo che, di lì a qualche tempo, molti altri discepoli si sarebbero uniti e ritrovati intorno alla sacra parola. Quel gruppo, da sparuto, sarebbe diventato uno stuolo.
Verso la Marca Anconetana si avviarono Francesco ed Egidio, su Firenze puntarono Bernardo e Pietro di Cattanio. La gente, osservandoli e ascoltandoli, rimaneva perplessa

ed incuriosita: pazzi da legare o profeti di salvezza? Le parole che pronunciavano scavavano come gocce la pietra. Al loro ritorno alla Porziuncola altri fratelli si unirono: Sabatino, Morico, Giovanni della Cappella e Filippo Longo; quest'ultimo, nel constatare tanta povertà, fu preso da sconforto. Altri cinque, Giovanni da San Costanzo, Barbaro, Bernardo di Vigilante, Angelo di Tancredo e Silvestro si unirono in quella avventura di pace. Erano coscienti di abbracciare l'umiltà, la povertà, la carità, la preghiera: il Vangelo.

VII
ALLA CORTE DI INNOCENZO III

Dodici apostoli. Proprio quanti ne aveva Cristo! L'assonanza è sorprendente. Ma i problemi di Francesco crescevano. Occorreva grande forza di coesione e credere fino in fondo nella missione salvifica da perseguire.

Correva l'anno 1209. La vita dei frati non era facile. Spesso venivano derisi ed insultati, picchiati ed oltraggiati, feriti e perseguitati. *Molti, a vederli e sentirli, li reputavano degli impostori o dei fatui. Qualcuno aggiungeva: "Non voglio riceverli in casa, chè abbiano a rubare le mie cose". Per questi sospetti, in parecchie località li assalivano con ingiurie. Per cui sostavano più spesso sotto i portici delle chiese o nelle case annesse (An. Per. 20).*

Certuni buttavano fango sul loro capo, altri ponevano loro in mano dei dadi, invitandoli a giocare. Un tale si caricò sul dorso, appeso per il cappuccio, un frate, e se lo ballonzolò fin che gli piacque (An. Per. 23).

Erano quelle le regole del gioco. Che accettavano per il rispetto dell'umiltà cui si erano votati. Reagivano con il perdono, con l'infliggersi mortificazioni, soprattutto con la preghiera, loro pane quotidiano.

Ma per proseguire si rendevano necessari criteri che dessero un'impostazione più precisa alla vita giornaliera. La piena adesione del Vangelo era tra le fondamentali osservanze. Tutto doveva iniziare da lì per poter giungere ad una

"norma di vita". Non si hanno documenti scritti su quelle prime indicazioni, probabilmente non furono mai stilati. Vi era, però, chiarezza sui punti cardine: la povertà - e questo si è detto - nel senso che Francesco e compagni non possedevano (e non avrebbero mai dovuto possedere) nulla di materiale; l'umiltà, fulcro essenziale, inscindibile, del pensiero francescano; la carità, principessa di ogni apostolo; la preghiera, che occupava molta parte della giornata; il lavoro, che rappresentava la fonte di sostentamento insieme ai frutti dell'elemosina; non ultima la meditazione che, in diretta coniugazione con la preghiera, rappresentava il più alto momento di unione con Cristo.
Con questo "pacchetto" di idee e di proponimenti i "tredici" intrapresero il viaggio da Assisi a Roma, per informare il pontefice sulla nascita e sulle intenzioni del gruppo e riceverne la benedizione. Un'approvazione "orale" da parte del papa era nella speranza di quei mendicanti, in quanto il riconoscimento della regola e l'obbedienza alla Chiesa Romana rappresentavano elementi fondamentali.
Il gruppo ebbe la fortuna di imbattersi in Guido II, il vescovo assisano che si trovava a Roma per trattare pratiche della propria diocesi. Attraverso il prelato si poté intercedere presso il cardinale Giovanni Colonna di San Paolo, vescovo di Sabina. Costui, intuendo la bontà di quei "disperati", riferì al papa: *"Ho incontrato un uomo di straordinaria virtù, che si è impegnato a vivere l'ideale evangelico, osservando in ogni cosa la perfezione espressa nel Vangelo. Sono convinto che il Signore vuole, per mezzo di lui, riformare in tutto il mondo la fede della santa Chiesa" (Tre Comp. 48).*
Pertanto si riuscì ad ottenere l'udienza da Innocenzo III, pontefice tra i più lucidi ed energici di tutta la storia della

Chiesa. Non poteva che esservi quell'uomo per fronteggiare la miriade di problemi che il mondo cristiano attraversava in quel periodo, scosso da scismi e sollecitato da movimenti che tentavano di dare un duro colpo ad un'entità largamente secolarizzata. Ad un clero molto spesso legato alla politica e ai beni materiali, si contrapponevano movimenti portatori di fermenti nuovi. Era il caso dei "mendicanti" di Assisi.

Francesco venne presentato come uomo dalle virtù straordinarie. Ma sull'incontro, o sugli incontri con il papa, i biografi e gli storici danno versioni diverse. Qualcuno liquida l'avvenimento con una breve e subitanea benedizione. Altri affermano che vi fu un primo contatto, non troppo costruttivo, davanti ad un Francesco sottomesso e ad un Innocenzo III distratto e infastidito; quindi, nella seconda fase, un pontefice pronto all'ascolto. Crediamo, invece, che l'episodio abbia avuto uno svolgimento più complesso ed armonico, nonostante fosse narrato da San Bonaventura, nella *Leggenda Maggiore* (III 9), che alcuni cardinali rumoreggiassero alle parole di Francesco. Parole che, ispirate alla povertà e all'umiltà, erano pregne di intendimenti superiori alle forze umane e, quindi, difficilmente praticabili. Forse fu breve il discorso da parte del giovane assisano e unica la sua richiesta: poter vivere, con l'assenso del più alto rappresentante di Cristo in terra, in conformità al Vangelo e alle leggi della Chiesa con spirito di apostolato. Probabilmente una frangia superba di curia romana si sarà mostrata scandalizzata per tanta semplicità e tanta povertà negli abiti. Questo giustificò un ulteriore intervento del cardinale Giovanni Colonna: *"Se noi rigettiamo la richiesta di questo poverello, come se si trattasse d'una novità o di cosa troppo difficile da praticare, mentre egli non chiede*

che l'approvazione d'una forma di vita evangelica, dobbiamo stare molto attenti che non ci si venga a mettere contro il Vangelo di Cristo. Perché se nella pratica della perfezione evangelica, come risulta dalla richiesta di questo poverello, qualcuno osa dire che vi è qualcosa di nuovo, d'irragionevole o d'impossibile, costui può essere accusato di bestemmiare contro Cristo, che è l'autore del Vangelo" (Leg. Mag. III 9).

A quel punto la strada per la benedizione era spianata, ma Tommaso da Celano scrive, nella *Vita Prima*, che vi fu da parte del pontefice un tentativo di sviare quelle intenzioni, adducendo le grandissime difficoltà da superare per un disegno così radicale. Innocenzo III avrebbe cercato di convincere il Santo ed i suoi compagni ad abbracciare la vita monastica o eremitica confluendo in un ordine già esistente.

Altro emerge, invece, dalla *Leggenda dei Tre Compagni*, dove si afferma che il papa dette subito la benedizione ai Poverelli di Assisi: *"Andate con il Signore, fratelli, e predicate a tutti la penitenza, secondo vi ispirerà il Signore. Quando Dio onnipotente vi avrà moltiplicati in numero e grazia, venite a riferircelo, e noi vi accorderemo privilegi maggiori e incarichi più impegnativi" (Tre Comp. 49).*

Secondo questo racconto il pontefice, prima che il gruppo ripartisse per Assisi, li avrebbe di nuovo incontrati, esprimendo velate perplessità sulle difficoltà future. Ma Francesco, ispirandosi ad una visione avuta, lo rassicurò: *"Sono io, signore, quella donna poverella che Dio ama e per sua misericordia ha reso bella e dalla quale si compiacque avere dei figli. Il re dei re mi ha promesso che alleverà tutti i figli avuti da me, poiché se egli nutre gli estranei, a maggior ragione avrà cura dei suoi bambini.*

Cioè, se Dio largisce i beni temporali ai peccatori e agli indegni, spinto dall'amore per le sue creature, molto più sarà generoso con gli uomini evangelici, che ne sono meritevoli" (Tre Comp. 51).
Sembra che Innocenzo III avesse avuto premonizione dell'incontro con Francesco nel sogno in cui un piccolo uomo sorreggeva la basilica di San Giovanni in Laterano cadente. Il pontefice avrebbe letto negli occhi di quel mendicante che trattavasi proprio dell'uomo del sogno. Fu quello, forse, il riferimento che più di ogni altro spinse il papa a concedere l'autorizzazione per svolgere l'attività che il gruppetto di Assisi si prefiggeva. Era il 16 aprile 1209.
Quella concessione verbale venne accompagnata dalla tonsura, o piccola chierica, sul capo, un riconoscimento, seppure esterno, di appartenenza al clero. In quel modo i tredici frati potevano liberamente predicare la parola di Dio.

VIII
DAL TUGURIO DI RIVOTORTO ALLA PORZIUNCOLA

Il viaggio di ritorno da Roma fu interrotto da numerose soste. Ad Orte il gruppo si fermò qualche giorno, sostenendosi con le elemosine offerte dalla gente del luogo. Di tanto in tanto trovavano sul cammino persone caritatevoli che prestavano loro aiuto. L'esempio rinfrancò i poveri penitenti, abituati agli insulti e alle ingiurie.

Nell'estate del 1209 fecero ritorno nella terra d'origine, in quei giorni solcata dalle milizie dell'imperatore Ottone IV in discesa verso le Puglie, allo scopo di assoggettarne i territori. Francesco non si fece irretire, come accadde ad altri, dallo spettacolo di tanta grandiosità militare ed inviò all'imperatore un suo frate per annunciargli che quella conquista era effimera e che la sua luce sarebbe presto tramontata.

Non tornarono alla Porziuncola, ma si stabilirono in un vecchio ed abbandonato lebbrosario, il "tugurio" di Rivotorto, simile più ad una stalla che ad un luogo di ricovero. Il tempo qui trascorso servì per fissare alcune idee sul futuro del gruppo, "affinare" le tecniche della meditazione e della preghiera e decidere come trasmettere il messaggio evangelico alla gente, un messaggio di cui erano diventati, dopo l'ufficializzazione di Innocenzo III, felici custodi. Ma

il problema di una sede, culla di irradiazione della rinnovata parola del Cristo, si faceva impellente. Gli appelli rivolti al vescovo Guido II ed ai canonici di San Rufino, per ottenere l'uso di una dimora, non ebbero esito.
Alcuni fatti sono legati alla permanenza dei frati a Rivotorto; la visione del "carro di fuoco" è certamente il più importante. Una notte, mentre Francesco era ad Assisi, assorto in preghiera, alla piccola comunità rimasta nel tugurio apparve una straordinaria visione. Un grande carro di fuoco illuminò d'improvviso la stanza e fece il giro di essa per ben tre volte. I frati rimasero esterrefatti in quanto sembrava che quella luce intensissima cogliesse non soltanto ogni pertugio più nascosto della stanza, ma persino ogni angolo della propria anima, anzi ognuno di loro riusciva a vedere nell'anima dell'altro. Il significato del carro condotto dal loro padre spirituale era duplice: sgombrare e diradare le loro residue perplessità e acquisire l'idea di Francesco quale guida di una nuova concezione di vivere il mondo.
La divina provvidenza pose sulla loro strada l'abate Maccabeo, dell'Abbazia di San Benedetto al Subasio, proprio nel momento in cui il tugurio di Rivotorto veniva reclamato da un contadino che, al sopraggiungere dell'inverno, vi doveva ricoverare il proprio asino. L'abate offrì al gruppo la cappella di Santa Maria degli Angeli. Maccabeo avrebbe regalato volentieri quelle quattro mura a Francesco, il quale acconsentì ad averne soltanto l'uso, in cambio del pagamento di un affitto simbolico, consistente in un cesto di pesci. L'abate, accettando, inviava in omaggio, di contro, un orcio di olio.
Così la Porziuncola assurgeva a definitiva sede di un ordine religioso che avrebbe fornito linfa all'umanità.

I frati che vi dimoravano, giorno e notte ininterrottamente, erano intenti a recitare le divine lodi, e spandendo una meravigliosa fragranza di virtù conducevano una vita davvero evangelica. Ed era ben giusto, poiché quel luogo, per testimonianza dei vecchi abitanti, soleva essere designato anche col nome di Santa Maria degli Angeli. Il Padre beato soleva dire essergli stato rivelato da Dio che la beata Vergine, tra le altre chiese costruite nel mondo in suo onore, quella prediligeva; e perciò anche il Santo l'amava più delle altre (II Cel. 19).
Intanto il gruppo diventava più numeroso. L'esemplare attività di Francesco e dei "dodici apostoli" sollecitava nei fedeli un affievolirsi dei gesti di intolleranza; quest'ultima veniva sostituita gradatamente dalla comprensione. Così, molte anime si sentivano spinte a seguire quella forza di rinnovamento che darà, ad un medioevo addormentato, un forte scossone di vitalità.
Nei mesi a seguire si intrecceranno le vicende personali di molte figure che sosterranno, in seno al gruppo, un ruolo esaltante. E' il caso di Leone, chiamato "frate pecorella" da Francesco, che diventerà suo segretario oltre che compagno inseparabile. Sarà il testimone diretto di molte vicende che andranno ad "infiorettare" gli scritti dei maggiori biografi. Come è pure il caso di Rufino, cugino di Santa Chiara, che si sottopose a profonda umiliazione - lui che era assai conosciuto in Assisi - girando nudo per le vie della città. I *Fioretti* (XXX) raccontano così l'episodio: *Francesco una volta gli comandò ch'egli andasse ad Asisi e predicasse al popolo ciò che Iddio gl'ispirasse. Di che frate Rufino rispose: "Padre reverendo, io ti prego che tu mi perdoni e non mi mandi; in però che, come tu sai, io non ho la grazia del predicare e sono semplice e idiota".*

Allora disse santo Francesco: "poiché tu non m'hai ubbidito prestamente, ti comando per santa obbedienza che, ignudo, solo coi panni di gamba, tu vada ad Asisi ed entri in una chiesa e così ignudo predichi al popolo". A questo comandamento frate Rufino si spoglia e, nudo, se ne va ad Asisi, ed entra in una chiesa; e, fatta la riverenza all'altare, sale sul pergamo e comincia a predicare. Della qual cosa i fanciulli e gli uomini cominciarono a ridere, e dicevano: "Or ecco, costoro fanno tanta penitenza che diventano stolti e fuori di sé". L'episodio terminò con il pentimento di Francesco per l'umiliazione fatta subire al compagno, con la successiva denudazione del Santo e la predica dallo stesso pulpito ove poco prima aveva parlato Rufino; ma questa volta il popolo comprese i gesti di umiltà e di povertà e ringraziò i due penitenti.
Tra i compagni vi era anche Masseo che i documenti indicano come uomo di grande fascino fisico e di notevole eloquenza oltre che di elevatissimo senso dell'umiltà; seguì Francesco sin dal 1210 e per settant'anni testimoniò la purezza dei primitivi proponimenti. Tra le figure più contrastate è quella di frate Elia di Assisi. Scriveva Tommaso da Celano nella *Vita Prima* (98): *...frate Elia, da lui scelto come madre per sé e padre per gli altri figli...* Questa frase, da sola, indica l'importanza che ebbe nella vita dell'Ordine. Inizialmente saggio e prudente, ma anche esuberante e poco umile, divenne il vicario del Santo.
Tra i compagni più conosciuti vi era frate Ginepro. Di esso si raccontano numerosi episodi, basati su una sottomissione pervasa di semplicità e di umorismo. La sua nudità per le strade, lo scherno, il rimprovero degli altri frati erano motivo di ulteriore immersione nella stessa umiltà. Un giorno distribuì tutto ciò che aveva ai poveri, sino a donare anche

il saio. Davanti al suo non demordere fuggiva persino il demonio. In un'altra occasione, si racconta, cucinò tutti i cibi e gli ingredienti che trovò sotto mano, tanto da confezionare un pastone che venne mangiato per una settimana. Così ebbe l'occasione di restare in continua preghiera per i giorni successivi. Tra gli altri adepti non possiamo non ricordare Angelo da Rieti, Illuminato, Pacifico e Agostino.

IX
CHIARA D'ASSISI

La presenza più importante del francescanesimo, dopo il suo Maestro, sarà una figura femminile, pia e discreta: Santa Chiara.

E' difficile separare i nomi di Francesco e Chiara, questi due fenomeni, queste due leggende, leggende di santità. E' una cosa profonda, una cosa che non può essere capita se non attraverso i criteri della spiritualità francescana, cristiana, evangelica; che non può essere capita con i criteri umani. Il binomio Francesco e Chiara è una realtà che si comprende solamente attraverso le categorie cristiane, spirituali, del Cielo, ma è anche una realtà di questa terra, di questa città, di questa Chiesa. Tutto ha avuto corpo qui. Non si tratta di puro spirito, non sono e non erano puri spiriti: erano corpi, erano persone, erano spirito. Ma nella viva tradizione della Chiesa, del Cristianesimo intero, dell'umanità, non rimane solamente la leggenda. Rimane il modo in cui Francesco vedeva sua sorella; il modo in cui egli sposò Cristo; vedeva se stesso a immagine di lei, sposa di Cristo, sposa mistica con cui formava la sua santità. Vedeva se stesso come un fratello, un poverello a immagine della santità di questa autentica sposa di Cristo nella quale trovava l'immagine della Perfettissima Sposa dello Spirito Santo, Maria Santissima. Non è solamente una leggenda umana, ma è una leggenda divina, degna di essere contem-

plata attraverso le categorie divine, di essere contemplata nella preghiera (Giovanni Paolo II alle Clarisse, 12 marzo 1982).

Su di lei tanto si è scritto e parlato, pagine di documenti, di testimonianze, pagine di poesia. I biografi hanno dipinto con diversi colori, tutti tenui, gli aspetti più particolari della sua esistenza, della sua immagine, del suo messaggio. Si sono approfonditi notevolmente gli aspetti legati alla spiritualità e alla santità, un po' meno quelli attinenti la sua vicenda terrena. Come per Francesco, le biografie di Chiara hanno voluto legarsi ai segni catartici, al fine ultimo del messaggio salvifico, trascurando, a volte, i sentimenti più ordinari, le emozioni di una bambina, di un'adolescente, di una donna. Le libere interpretazioni legate a certe produzioni cinematografiche hanno poi messo in luce questi aspetti in maniera non troppo documentata, sopperendo con la suggestione e con l'intuizione, in una chiave sin troppo aperta ed avveniristica, lasciando il fruitore di correre libero con il pensiero.

La verità, probabilmente, è al centro di queste due visioni, una strettamente mistica e religiosa e l'altra più emozionante, ma sin troppo terrena. Così i veri rapporti tra Francesco e Chiara, prima della santità, andrebbero rivisitati e ricostruiti. Ciò che colpisce è la mancanza - che i documenti vogliono far credere - di incontri, sia pure formali, tra queste due figure, prima del 1211. Eppure, l'Assisi degli inizi del XIII secolo non era una comunità assai grande. Non è una forzatura sostenere che tutti i componenti di essa si conoscessero ed i più avessero rapporti all'interno della propria fascia sociale. E' pur vero che Chiara faceva parte della nobile famiglia degli Offreduccio e che la famiglia di Francesco nobile non era. Ma era ugualmente potente. Al

tempo della rinuncia dei beni, davanti al vescovo Guido II, Francesco aveva circa venticinque anni, ma Chiara, che ne aveva appena più della metà, possedeva già un animo predisposto alla carità. Non appare quindi possibile che il rumore del gesto della spoliazione non sia giunto alla ragazza, la quale, probabilmente, avrà cercato di conoscere il "pazzo" Francesco più da vicino.
La casa di Favarone di Offreduccio, il padre, era nella parte più alta di Assisi, nella Piazza San Rufino. E' qui che Chiara nacque, nel 1193, da Ortolana, una donna dotata di fortissimo senso di altruismo che sarà la prima guida, il primo esempio per la futura santa. Un esempio che sarà dettato non soltanto dalla natura pia della madre, ma anche per volere di Dio. Durante il travaglio, infatti, una voce sovrannaturale comunicò alla donna: "Non temere, partorirai sana e salva una luce che farà risplendere il mondo". L'accostamento alla luce imponeva quasi l'obbligo di chiamare con il nome di Chiara la nascitura.
In quell'ambiente, carico di spiritualità, non era difficile per la giovinetta crescere in piena grazia di Dio e metterne a frutto gli esempi. Come quelli della preghiera e della privazione dei cibi che di nascosto venivano inviati ai poveri.
Le vicende politiche e militari di Assisi aprirono una parentesi nella permanenza della famiglia nella città. Infatti, le diatribe tra il popolo ed i nobili costrinsero anche gli Offreduccio ad emigrare a Perugia, probabilmente tra il 1200 e il 1204.
La fanciulla, tra le più belle della sua città, non amava molto la compagnia. Spesso si ritrovava in solitudine e in meditazione, quasi un preludio alla sua vocazione. E per cogliere appieno i discreti e sottili segni che Cristo le inviava, alzava gli occhi al cielo, pronta a percepire ogni flebile

sussurro di vento. In città tutti apprezzavano le sue doti di modestia e di gentilezza, peculiarità che invece impensierivano Favarone il quale si vantava più che altro della bellezza e della leggiadrìa della figlia, qualità che, indiscutibilmente, avrebbero pesato sul contratto matrimoniale tra nobili, ricchi e potenti. Notevole sarà la sua amarezza quando Chiara, in maniera risoluta, affermerà che purezza e verginità sarebbero state consacrate al Signore. Ma cosa poteva conoscere della vita una fanciulla di appena diciassette anni? Questa era la domanda che Favarone formulava a se stesso, con la convinzione di non sbagliarne la risposta. L'esempio di Pietro di Bernardone, che ancora non si era ripreso dallo "smacco" del figlio, lo gettava nel terrore. Non è improbabile che anche il padre di Chiara abbia assistito alle sceneggiate pubbliche del mercante e al girovagare di Francesco per le strade di Assisi, dopo il rifiuto dei beni paterni. E se anche Chiara fosse stata rapita dalla "pazzia"? Quale sarebbe stato il comportamento davanti ad una così "triste" verità? No! A lui, Favarone di Offreduccio, queste cose non sarebbero accadute!

Nel frattempo la giovane inviava Bona di Guelfuccio, sua inseparabile amica, in missione di carità alla Porziuncola, carica di cibi da destinare ai penitenti. E non sarebbe stato solo un approccio indiretto, perché di lì a poco la stessa ambasciatrice chiederà a Francesco la disponibilità ad un incontro. Ne scaturirà quasi una confessione, un aprire l'animo al racconto della propria vita, ai dubbi, alle incertezze, alle paure. E le ansie si mescoleranno alle speranze, i timori alle certezze. Lei, anima pura e decisa, si poneva davanti a Francesco per decidere, insieme, il futuro. Lui le avrebbe parlato della rinuncia, del disprezzo verso la vita materiale, della superiorità delle nozze con il Cristo,

dell'importanza di una verginità sublimata dallo spirito. Insieme, sarebbero corsi incontro al sogno.
Al di là delle implicazioni religiose, forse era su quell'incontro, il primo documentato, ma probabilmente ve ne erano stati altri, che si instaurava un legame fortissimo tra i due, un sentimento vigoroso, un'emozione struggente, un amore di cuore, di mente.
Chiara era pronta a dare se stessa, completamente, senza nulla chiedere in cambio. Desiderava soltanto che Francesco la prendesse per mano e la guidasse. Lei avrebbe saputo ubbidire.
Arrivò la Domenica delle Palme dell'anno 1212. Nel frattempo i colloqui tra i due si erano intensificati, i dubbi chiariti, le paure superate.
Dopo aver assistito alla funzione religiosa nella cattedrale di San Rufino, Chiara rientrò nella propria abitazione. Ma nella notte, facendo ben attenzione a non svegliare i genitori ed eludendo la sorveglianza degli armigeri alle porte della città, fuggì per raggiungere la Porziuncola. Qui era ad attenderla Francesco, per consacrarla a Dio. Il taglio dei capelli simboleggiò la rinuncia alla vita terrena e divenne emblema di incoronazione e di accettazione di più alti impegni. La stessa notte Chiara venne condotta, dal Santo, presso le Benedettine di Bastia Umbra, pochi chilometri a nord di Santa Maria degli Angeli. Lì avrebbe ricevuto i primi insegnamenti monastici e sarebbe stata al sicuro dalle insidie dei familiari.
Il padre utilizzò, in un primo momento, l'atteggiamento di supplica per convincerla a recedere da una decisione ch'egli riteneva assurda, successivamente il suo comportamento assunse toni sempre più minacciosi, anche se ben sapeva, Favarone, che un inasprimento della situazione

l'avrebbe portato alla scomunica; per esempio, se avesse forzato l'interno del monastero. Francesco, temendo il peggio, le trovò ricovero nel convento femminile delle Benedettine di Sant'Angelo di Panzo, sul Monte Subasio. Si cadde nel dramma quando si aggiunse la fuga, dalla famiglia, della sorella di Chiara: Agnese. Anche lei voleva liberarsi da una frivola esistenza e raggiungere chi, per prima, aveva avuto la forza e la volontà di quel distacco. Quella seconda fuga, in un momento in cui non si erano ancora placati gli animi per la "perdita" di Chiara, provocò negli Offreduccio una reazione violenta. Lo zio Monaldo, il più alto rappresentante della casata, con alcuni armigeri, violò il monastero e ai primi rifiuti fece trascinare Agnese per i capelli. La giovane, sanguinante per le percosse ricevute, cadde a terra tramortita. Altri biografi danno una diversa versione dell'accaduto, affermando che il Signore dette un tale peso al corpo di Agnese che gli armati non riuscirono a sollevarla da terra. Monaldo fece il gesto di colpirla in volto, ma la forza divina paralizzò il braccio dell'aggressore.
Intanto, all'interno del monastero, Chiara attendeva, in preghiera, un cenno di Dio onde uscire alla ricerca della sorella. Seguendo le tracce del sangue e dei capelli, ritrovò Agnese, redarguì gli aggressori e ricondusse la poveretta a Sant'Angelo.
Dopo una breve permanenza, Chiara e la sorella seguirono nuovamente il consiglio di Francesco che le condusse a San Damiano, ove fondarono la Comunità delle Povere Dame recluse (muteranno la denominazione in Clarisse dopo la morte della Santa). Ad esse si affiancarono presto altre giovani: Pacifica, un'amica d'infanzia, Benvenuta da Perugia, quindi Balvina di Martino e poi Filippa di Leonardo.

Vivevano in povertà, lavorando all'interno del monastero, rifiutando ogni possesso terreno. La prima grande differenza che si evidenzia rispetto all'Ordine maschile sta nella vita claustrale che esse conducevano. Infatti, ancor oggi, le Damianite vivono appartate, quasi ai margini del mondo, sul quale vigilano costantemente con la preghiera e la meditazione. Eppure i cardini sono identici: osservanza del Vangelo, assenza totale di possesso di beni materiali, penitenza, fraternità cristiana, ubbidienza e fedeltà alla Chiesa.
Un emblema di tale ubbidienza fu testimoniato proprio da Chiara, quando venne chiamata ad esercitare l'incarico di abbadessa del monastero di San Damiano. Non avrebbe voluto, perché riteneva l'impegno troppo pesante, ma alla fine ubbidì alla volontà di Francesco e del vescovo. Un altro episodio di ubbidienza si verificò nell'interruzione del digiuno a causa della precarissima salute; anche in questo caso, da Francesco stesso, le fu imposto di cibarsi almeno di un pezzo di pane. La salute di Chiara sarà fortemente minata sin dal 1224, in parte a causa degli stenti subiti.
Il gruppo delle Povere Dame non conosceva soste riguardo alle nuove adesioni. Di particolare rilevanza furono gli ingressi di Beatrice, l'altra sorella di Chiara, avvenuto nel 1229, e quello della madre Ortolana, la quale aveva atteso la morte di Favarone per essere rispettosa al sacro vincolo del matrimonio.
Il soggiorno di Chiara a San Damiano durò ben quarantadue anni. Nonostante la malattia, ella diventò faro di speranza e di conforto nonché rarissimo esempio di compiutezza morale e religiosa. Francesco detterà per lei e le consorelle una regola che assurgerà a linea conduttrice dell'Ordine femminile nei secoli successivi.
All'indomani della morte del Santo, il corteo funebre parti-

to dalla Porziuncola sostò per brevissimo tempo a San Damiano per consentire l'ultimo saluto alle Povere Dame.
Molti sono gli episodi di prodigio, protagonista Chiara, testimoniati nei documenti ufficiali. Uno di essi è in relazione con l'Eucarestia. Un giorno del 1240, mentre soldatesche saracene, assoldate da Federico II, si aggiravano minacciose nei pressi del monastero, le sorelle, allarmate ed impaurite, corsero da Chiara, che era inferma. Mentre la Santa cercava di rincuorarle, i soldati penetrarono nell'area di San Damiano, sino a giungere alla porta del refettorio. Fu a quel punto che Chiara si fece portare sino al luogo di pericolo e iniziò a pregare davanti ad un piccolo ostensorio del Santissimo Sacramento: "Signore, difendi tu queste tue serve"; a quel punto, una voce proveniente dalla teca disse: "Ti difenderò sempre, come difenderò la tua città". All'improvviso si fece silenzio. Le soldatesche si erano dileguate.
Le testimonianze parlano anche di guarigioni miracolose nei confronti di bambini malati e donne indemoniate. Un altro fatto, che sa di prodigio, è in relazione con l'esercito di Federico II. Nel 1241 l'imperatore aveva assediato la città che, ormai stremata, stava per capitolare. Venuta a conoscenza di ciò, la Santa chiamò a raccolta le compagne. La preghiera che levarono al Signore, affinché liberasse Assisi, fu talmente alta ed intensa che il giorno seguente gli aggressori, inspiegabilmente, si allontanarono.
Nel 1251 Chiara era ormai del tutto debilitata dall'infermità. La fine era prossima, ma allietata da numerose visite. L'anno successivo giunse al suo capezzale il cardinale Rainaldo di Segni, vescovo di Ostia e di Velletri nonché protettore dell'Ordine. La penitente supplicò il cardinale affinché sollecitasse al papa l'approvazione di quella forma

di vita, in definitiva la regola. Essa conteneva le norme dettate da Francesco ed altre aggiunte dalla Santa. Più tardi il sogno si avverò, ma prima ancora Chiara ebbe il privilegio della visita di Innocenzo IV che le impartì la benedizione. Fu il più alto riconoscimento della sua opera svolta in terra. Al trapasso, avvenuto nel 1253, erano presenti frate Leone, frate Angelo e frate Ginepro. Il Santo non l'aveva abbandonata nemmeno in punto di morte.

X
A COLLOQUIO CON GLI ANIMALI

Ma torniamo a Francesco ed al suo gruppo che, nel frattempo, era diventato ancor più numeroso. Per loro era giunto il tempo di essere viandanti nel mondo. Portare la parola di Cristo diventava esigenza irrinunciabile. Si apriva, così, il lungo capitolo dedicato alla predicazione. Su quei primi viaggi gli storici non sempre concordano. Qualcuno afferma che, ad iniziare dal 1211, il Santo abbia preferito "esplorare" le terre intorno ad Assisi, per avviare un programma organico del messaggio di Cristo. Quindi, risulta improbabile quanto affermato dal cronista Juan Figuera Carpo che lo voleva in Spagna, a Lerida, proprio nel 1211. Appare più verosimile concordare con le tesi dei biografi più antichi, come Tommaso da Celano che racconta di un Francesco impegnato nelle immediate vicinanze della propria città. Tra i primi movimenti in ambito umbro menzioniamo il viaggio intrapreso nelle terre a meridione della Porziuncola. Luciano Canonici, storico francescano, afferma che Alviano fu una delle prime tappe. Fece precedere la sua predica alla gente di quel borgo con la richiesta di attenzione e di silenzio; gli uomini tacquero, ma intorno aleggiavano molte rondini festose e chiassose che coprivano le parole. *E il beato Francesco, non potendo essere udito dal popolo per il lor garrire, disse rivolto agli uccelli: " Sorelle mie rondini, ormai è tempo che parli anch'io, perché voi avete finora parlato abbastanza; ascoltate la parola di Dio, stando zitte e quiete finchè il discorso sia finito! ". E le rondini, con stupore e meraviglia di tutti gli astanti, subito si tacquero e non si mossero di là finchè non fu terminata la predica. Gli ascoltanti allora, meravigliati, presero a dire: "Veramente quest'uomo è santo e amico dell'Altissimo!" E cercavano con gran devozione di toccargli almeno le vesti, lodando e benedicendo Dio. Cosa mirabile certo, che fin le creature irragionevoli conoscessero e presentissero la pietà e il dolcissimo affetto che egli nutriva per esse (I Cel. 59).*

Gli abitanti di Alviano, ammaliati dalle semplici frasi del Penitente di Assisi, espressero il desiderio di seguirlo in massa. Ma egli, davanti a tale slancio popolare, consigliò e propose ai singoli di abbracciare il messaggio evangelico dalla propria posizione sociale, ricoprendo con umiltà, serenità ed obbedienza il ruolo nella famiglia, nel lavoro, nel seguire Cristo.

Era la genesi del Terzo Ordine Francescano (ora Ordine Francescano Secolare); di esso faranno parte pontefici, ecclesiastici, imperatori, uomini di cultura e di politica, servi ed operai. Il T.O.F. sarà regolamentato nel 1221, ad opera del cardinale Ugolino, ed approvato dal papa Onorio III con il *Memoriale Propositi*. I terziari si faranno portavoci di uguaglianza e di pace, di preghiera, di carità e di obbedienza alla Chiesa, di accettazione dello stretto necessario per vivere e di rinuncia al superfluo.

Gli animali, le piccole creature del Signore, ebbero sempre un rapporto sereno e diretto con Francesco. Famosissimo è l'episodio della predica agli uccelli, avvenuto, nei pressi di Bevagna, ad una quindicina di chilometri da Assisi, intorno al 1212, e che dai biografi tradizionali viene indicato come

il primo nel suo genere. Spostandosi per la valle Spoletana, Francesco giunse, appunto, nei pressi di Bevagna. Nella campagna alle porte del borgo notò una grande quantità di volatili: colombe, cornacchie ed altre specie. Si avvicinò ad essi e si stupì accorgendosi che non soltanto non prendevano il volo, ma che assumevano quasi un atteggiamento di attesa. Così, con estrema semplicità, li invitò ad ascoltarlo: *"Fratelli miei alati, molto dovete lodare il vostro Creatore, ed amarlo sempre, perché vi diede le piume per vestirvi, le penne per volare e tutto ciò che occorre al vostro bisogno. Dio vi fece nobili tra le altre creature e vi concesse di dimorare nella limpidezza dell'aria; voi non seminate e non mietete, eppure Egli stesso vi protegge e governa senza alcuna vostra sollecitudine". A queste parole quegli uccelli mirabilmente davan segni di esultanza secondo la loro natura, allungando il collo, distendendo le ali, aprendo il beccuccio e guardandolo. Ed egli passava e ripassava in mezzo a loro, sfiorando le testine e i corpi con la sua tonaca. Infine li benedisse e, fatto il segno di croce, diede loro licenza di volare altrove... E da quel giorno prese ad esortare sollecitamente tutti i volatili, tutti gli animali, tutti i rettili, e anche le creature insensibili, a lodare e amare il Creatore, poiché ogni giorno sperimentava la loro obbedienza all'invocazione del nome del Salvatore (I Cel. 58).*
Chi meglio di Lui poteva assumere il titolo di Patrono dell'Ecologia? In epoca moderna la Sua figura è parsa indubbiamente la più pregnante, per l'amore ed il rispetto verso i piccoli figli di Dio. L'Anonimo redattore de *Lo Specchio di Perfezione* (da qualcuno attribuito a frate Leone, ma la forte discordanza di date della compilazione rende ciò improbabile) ci ha lasciato una pagina bellissima, emblematica, sul rispetto degli uccelli. L'aspetto che più

colpisce è che in questo testo Francesco proponeva all'allora imperatore la necessità di una legge speciale che tutelasse gli animali. L'attualità di quel messaggio è stupefacente. *"Se potessi parlare con l'imperatore, lo supplicherei e convincerei a fare, per amore di Dio e di me, una legge speciale: che nessun uomo catturi o uccida le sorelle allodole o faccia loro alcun male. E inoltre che tutti i podestà delle città e i signori dei castelli e villaggi siano obbligati ogni anno, nel giorno di Natale, a comandare alla gente di gettare frumento e altri cereali per le strade, fuori delle città e dei castelli, affinché le sorelle allodole e gli altri uccelli abbiano da mangiare in un giorno tanto solenne. E per reverenza verso il Figlio di Dio, che quella notte la vergine Maria depose in una greppia tra il bue e l'asino, chiunque abbia bue e asino sia obbligato a fornire loro generosamente delle buone biade. Così pure, che quel giorno tutti i poveri abbiano in dono dai ricchi copiose ottime vivande" (Spec. Perf. 114).*

Nel corso degli anni l'interesse di Francesco verso gli animali rimarrà una costante.

Scrisse Giordano da Giano: *Anche le bestie selvatiche spesso si rifugiavano presso il beato Francesco come a porto sicuro, come se guidate dalla ragione conoscessero il suo pietoso affetto verso loro. Un dì standosene presso il castello chiamato Greccio, vide portato da un frate un leprotto vivo preso al laccio; impietosito disse: "O fratello leprotto, vieni da me; perché ti sei lasciato accalappiare così?" E rilasciato dal frate, il leprotto come sicuro corse all'uomo di Dio, e nel seno di lui come fa un animale domestico si rifugiò. E ogni volta che era deposto a terra perché se ne andasse, tornava a correre a lui non cercando altra libertà, fino a che poi egli ordinò fosse portato dai frati nel bosco vicino.*

Ma non è questo il solo episodio che evidenzia l'amore verso le piccole creature. L'esistenza di Francesco è punteggiata di incontri che hanno come protagonisti gli animali. Racconta sempre Giordano da Giano: *...Essendo su una barca nel lago di Rieti, un pesce non piccolo, che volgarmente dicesi tinca, gli fu portato vivo. E il sant'uomo accogliendolo festosamente e benignamente, non per mangiarlo ma per restituirlo a libertà, lo chiamò "fratello pesce", e pregando e benedicendo il nome del Signore lo ripose in acqua. E continuando lui in preghiera e lodi, il pesce scherzando nell'acqua non s'allontanava dalla barchetta, finchè, finita la preghiera, il beato Francesco non glie ne diede licenza.*
Quindi non è casuale che San Francesco venisse proclamato patrono dell'ecologia nel giorno di Pasqua del 1980, con bolla di Giovanni Paolo II, firmata dal Segretario di Stato cardinale Casaroli il 29 novembre 1979.

XI
IL VIANDANTE DI DIO

Tra il 1212 e il 1213 Francesco era sempre più impegnato in viaggi e in predicazioni. A Terni resuscitò un giovanetto e riportò la pace tra due opposte fazioni cittadine, a Collescipoli restituì la vita ad un annegato, a Narni guarì un paralitico, a Sangemini esorcizzò una donna posseduta dal demonio, allo Speco di Sant'Urbano mutò l'acqua in vino e fondò un convento che diventerà famoso nella storia francescana, ad Amelia convinse un gruppo di donne ad abbracciare la vita di "penitenza", dando l'avvio al primo nucleo di "donne penitenti" (Terzo Ordine Regolare).
Ma ai viaggi univa momenti di contemplazione. Si racconta, nei *Fioretti* (VII), che avvicinandosi la quaresima, volle trascorrere lunghi giorni di preghiera e di astinenza in un'isola del Lago Trasimeno. Si fece condurre con una zattera sino all'isola, che era completamente deserta; vi sostò molti giorni cibandosi esclusivamente di un mezzo pane: *...così con quel mezzo pane cacciò da sé il veleno della vanagloria.*
Sempre alla ricerca del silenzio, Francesco utilizzò spesso un luogo nelle vicinanze di Assisi: l'Eremo delle Carceri. Qui egli si ritirò sin dai primi anni della conversione per trovare una luce ai suoi enigmi e per parlare con Cristo senza essere disturbato. Infatti, il luogo, immerso in un fittissimo bosco di lecci, si prestava, forse più di ogni altro, alla contemplazione. Successivamente, amerà appartarvisi insieme

ai suoi più stretti compagni, Angelo, Bernardo, Masseo, Rufino ed Egidio. Molti sono gli episodi prodigiosi che legano l'Eremo alla figura del Santo, come la predica agli uccelli radunati sul famoso leccio ancora oggi visibile.
Già dai primi anni di predicazione, decise di darsi a più difficili imprese. In modo particolare, aveva in animo di portare la parola del Signore nelle terre d'oriente. Un primo tentativo, nel 1211, non fu accompagnato dalla fortuna: *Acceso dal desiderio del sacro martirio, volle passare in Siria per predicare la fede di Cristo e la penitenza ai Saraceni e agli altri infedeli. Salì su una nave là diretta, ma spirando venti contrari si ritrovò con altri naviganti nella Schiavonia* - l'odierna Dalmazia - *(I Cel. 55).* Non gli restò che tornare in Italia, ma durante il viaggio una burrasca costrinse i marinai ad un itinerario più lungo; sicché la scarsezza di viveri indusse Francesco ad una moltiplicazione del cibo.
Quelle prime difficoltà non lo intimorirono e nel 1213 si diresse verso il Marocco: ... *per predicare al Miramolino* (capo dei credenti) *e a' suoi correligionari il Vangelo di Cristo. Ed era tale la forza del desiderio, che egli lasciava ogni tanto indietro il compagno di viaggio, affrettandosi in ebrezza di spirito a compiere il suo proposito. Ma sia lodato il buon Dio, cui piacque per sua sola bontà ricordarsi di me e di molti. Infatti quando era già pervenuto in Ispagna, gli si oppose e per non lasciarlo procedere oltre, colpitolo con una malattia, lo ritrasse dal cammino iniziato (I Cel. 56).*
Durante quel lungo viaggio effettuò, probabilmente, brevi soste a Firenze, Lucca, Genova, Torino, Susa, Avignone, Carcassone, Tolosa, Pamplona, Burgos, San Giacomo de Compostella e, al ritorno, a Madrid e Barcellona. Così rinunciò, suo malgrado, a quel primo desiderio di raggiungere l'Africa.

Era presumibilmente l'anno 1213, quando compì un viaggio in Romagna. Nel passaggio sulla terra dei Montefeltro, Francesco e frate Leone fecero sosta a San Leo. Qui il Santo, vedendo molta gente convenuta nella piazza per una festa, salì sopra un muretto ed iniziò a predicare. Tra i presenti vi era anche il conte Orlando di Chiusi il quale, impressionato dalle parole del Poverello, a conclusione della predica, espresse il desiderio di colloquiare con lui. In quella occasione glì offrì il Monte della Verna, suo possedimento in terra toscana. La Verna diventerà uno dei luoghi più ricchi di atmosfera religiosa e mistica. Francesco vi si recò per la prima volta nel 1214.
Al ritorno da San Leo effettuò una breve sosta alla chiesetta di Montirone, immersa nel bosco, la cui quiete era rotta soltanto da un disteso cinguettìo. Il canto degli uccelli non si sposava troppo con l'esigenza di meditazione. Anche in quella occasione le creature furono messe a tacere dalle semplici parole del Penitente. Nel silenzio profondo della natura sembrava che il Crocifisso della chiesa parlasse nuovamente, esortando Francesco a proseguire nella strada intrapresa, senza tentennamenti.
La storia di quegli anni è ricca di prodigi e miracoli. Ad Arezzo una donna attanagliata da lancinanti dolori di parto era quasi sul punto di morire; i familiari sapevano che Francesco stava attraversando, a dorso di cavallo, quelle terre, ma una deviazione inaspettata non rese possibile l'incontro con la donna. Circostanze fortuite fecero giungere nella casa della partoriente il cavallo; bastò il contatto con le redini che aveva toccato il Beato per sollevare la poveretta da ogni pericolo e farla agevolmente partorire.

Si racconta che a Città della Pieve un uomo di grande fede riuscisse a guarire gli ammalati con il contatto della corda con cui Francesco si era cinto il rozzo abito. A Toscanella guarì un bimbo zoppo, a Gubbio rese la vista ad una donna cieca.
La città di Gubbio e la strada che la collegava ad Assisi furono teatro di numerosi prodigi. Tra i più noti è sicuramente quello del lupo.
L'episodio, così come viene narrato nei *Fioretti* (XXI), sarebbe una versione leggendaria di quanto accaduto. Alcuni biografi fanno riferimento ai dissidi sanati da Francesco tra la comunità eugubina ed un ferocissimo personaggio non meglio identificato, ma dai più paragonato, nel carattere, ad un lupo. Poi la tradizione popolare avrebbe lavorato di fantasia sino ad arrivare all'episodio di seguito riportato. Comunque, a Gubbio, nella Chiesa di San Francesco della Pace è custodito il cranio di un lupo che si crede appartenga al "famoso" animale.
Durante la permanenza in quella cittadina, il Santo aveva avuto più volte notizia che un feroce lupo si annidava nei boschi limitrofi all'abitato; sovente, esso faceva razzia di greggi ed impauriva gli uomini, tanto che questi erano costretti a girare sempre armati. Un giorno, accompagnato da alcuni cittadini, Francesco si avvicinò al luogo ove era presumibilmente la tana. Giunto nei pressi di essa, gli accompagnatori desistettero dall'avanzare, supplicando il Santo di fare altrettanto. Ma ormai il lupo era uscito dall'antro e a bocca spalancata guadagnava terreno nei confronti del Predicatore che per niente intimorito lo apostrofò: "Ti comando, in nome di Gesù Cristo, frate lupo, di non fare male né a me né a nessun'altra persona". I presenti, seminascosti, rimasero stupiti vedendo che la belva,

ricevuto il segno della croce, chiuse la bocca e si prostrò, come tenero agnello, ai piedi di Francesco. Egli riprese: "Frate lupo, ti sei macchiato di gravi misfatti, uccidendo e infastidendo le creature di Dio. Non soltanto hai ucciso e divorato le bestie, ma hai ucciso anche gli uomini. Meriti la forca come ladro e come omicida. Ma io voglio che sopraggiunga la pace tra te e questa gente. Ti prometto che gli abitanti di Gubbio ti cureranno e non ti faranno mancare il cibo, ma non dovrai nuocere più ad alcuno". Il lupo, a capo chino, fece segno di aver compreso quelle parole. Quindi, alzò una zampa e la pose nel palmo della mano di Francesco, in segno di pace. Tutti si diressero nella piazza della città. La gente, meravigliata e non più impaurita, alla vista della mansuetudine del lupo, uscì dalle case. *Essendo radunato ivi tutto il popolo, levasi su santo Francesco e predica loro dicendo, tra l'altre cose, come per li peccati Iddio permette cotali pestilenze: "E troppo è più pericolosa la fiamma dell'inferno, la quale ha a durare eternalmente ai dannati, che non è la rabbia del lupo, il quale non può uccidere se non il corpo; quanto è dunque da temere la bocca dell'inferno, quando tanta moltitudine tiene in paura e in terrore la bocca di un piccolo animale! Tornate, adunque, carissimi, a Dio e fate degna penitenza dei vostri peccati, e Iddio vi libererà dal lupo nel presente, e, nel futuro, dal fuoco eternale" (Fior. XXI).*
Come promesso, il lupo venne giornalmente nutrito e di esso non si ebbe più alcuna nefasta notizia.

XII
IL FRANCESCANESIMO: ELEMENTO PER IL SUPERAMENTO DELLA CRISI

Verso la fine del 1215 Francesco era nuovamente a Roma con alcuni compagni. Non mancò, sicuramente, di vedere e colloquiare con Giacomina de' Settesoli, una nobildonna capitolina dotata di energico spessore spirituale. Riferendosi, probabilmente, a quella energia, il Santo decise di chiamarla "frate" Jacopa. La conoscenza sarebbe risalita a qualche anno prima, sicuramente al 1212, in uno dei primi viaggi nella Capitale della fede. I colloqui con lei si incentravano nella ricerca di una strada evangelica e sul progressivo distacco dai beni materiali. Di Giacomina apprezzava anche un dolce che gustava durante la permanenza a Roma. Questo è un lato umano nelle abitudini di Francesco, il quale sdegnava ogni cibo che uscisse dai canoni della pura sussistenza. In punto di morte chiederà la presenza di Giacomina e di quel dolce.

Bonaventura da Bagnoregio racconta che Francesco affidò a Jacopa un agnellino che, "ammaestrato nelle cose dello spirito", seguiva passo dopo passo i movimenti della nobile sia dentro che fuori di casa. Al mattino, scodinzolando, le ricordava che era giunto il momento di andare in chiesa.

Nel novembre del 1215 Francesco era a Roma; partecipò quasi sicuramente al Concilio Lateranense IV, che il pontefice Innocenzo III aveva convocato per fissare due linee

fondamentali di intervento. La prima era quella della riforma di una Chiesa profondamente secolarizzata; gli ecclesiastici trascorrevano nell'agio e negli affari il loro tempo invece di farsi portavoci della parola di Cristo. L'altra linea, non disgiunta dalla prima, era quella di arginare i movimenti eretici che, pericolosamente, minavano l'integrità della Chiesa.
Il Concilio aveva lo scopo di proiettare un messaggio di unità e nello stesso tempo lanciare un monito forte per gli eretici e per i sovrani d'Europa. Ad esso parteciparono ben 412 vescovi, 800 abati ed i rappresentanti degli stati del mondo medievale sotto l'influenza della Chiesa. Vennero varate numerose norme contro capi e seguaci delle eresie valdese, catara e gioachimita. Inoltre, Innocenzo III lanciò la proposta di un periodo di quattro anni di pace assoluta in tutte le terre d'occidente per favorire la preparazione di una potente crociata che fosse in grado di operare una degna e subitanea riconquista della Terrasanta.
In questi programmi l'opera di Francesco e di altre figure religiose di spicco (come quella di Domenico di Guzman) si ponevano come elemento vitalissimo e necessario per il superamento della crisi. Va da sé immaginare quanto i francescani fossero nel cuore del pontefice. Non poteva essere altrimenti per un gruppo riformatore inequivocabilmente inserito all'interno della Chiesa; un gruppo dal quale, per l'umiltà che lo contraddistingueva, non si muovevano critiche all'autorità papale, anzi si dichiarava la piena ubbidienza. Araldi, paladini, soldati del papa: tutto questo era l' "armata" di Francesco.
Ma le speranze di Innocenzo III non ebbero il tempo di attuarsi durante il suo pontificato. Morì il 16 luglio 1216, durante una breve permanenza a Perugia. In quella città,

due giorni dopo, venne eletto il successore: Onorio III, il quale è indicato dai biografi come un personaggio dotato di grande umanità ed umiltà. Era, quindi, in linea con lo spirito francescano e questo rappresentava un nuovo segno del Signore. Il primo incontro di Francesco con il nuovo pontefice avvenne qualche giorno dopo l'elezione e fu un episodio assai importante per l'Ordine.
Prima di trattare il tema del colloquio occorre narrare un avvenimento che alcuni pongono in relazione con la richiesta formulata a Onorio III. Qualche tempo prima, infatti, Francesco venne fatto oggetto di ripetuti assalti da parte del demonio il quale non sapendo come colpirlo lo pose davanti alla tentazione della carne. Ma ormai Francesco conosceva perfettamente il sottile inganno di Lucifero e rispose con estrema decisione. Si punì denudandosi e gettandosi in un cespuglio di rovi. Al contatto con il corpo, gli aculei si trasformarono in splendide rose. Rimase stupefatto quando, d'incanto, si ritrovò nella chiesetta della Porziuncola, al cospetto del Cristo e della Madonna. Volevano premiarlo perché era riuscito a sconfiggere, ancora una volta, il demonio. Sembra che Cristo gli avesse chiesto quale premio desiderasse per aver superato gli inganni di Satana ed egli implorò il perdono per quanti, pentiti, avessero fatto penitenza alla Porziuncola. Ma qualsiasi richiesta doveva essere rivolta al papa affinché ne desse ufficiale autorizzazione.
Così, in quel primo colloquio con Onorio III, Francesco chiese un'indulgenza simile a quella che si poteva ottenere con un pellegrinaggio in Terrasanta. Il pontefice, nonostante la grande considerazione che aveva per il Penitente di Assisi, prese tempo per meditare. Il suo cuore era pronto ad esaudire la richiesta di Francesco, ma la ragione frenava quella spinta. Una simile concessione poneva problemi con

quanti, sino ad allora, avevano affrontato il lungo viaggio oltremare, raggiungendo Gerusalemme, per ottenere l'indulgenza plenaria. Inoltre, doveva destreggiarsi tra l'ostilità di numerosi cardinali che non vedevano di buon occhio quella "operazione". Alla fine, vincendo sui non pochi pareri contrari, il papa acconsentì, anche se la sua saggezza gli consigliò di ridurre ad un solo giorno all'anno, il 2 agosto, l'Indulgenza della Porziuncola, il cosiddetto Perdono di Assisi (oggi quotidiano).
Ormai il movimento ideato da Francesco aveva valicato i confini nazionali. Esso si poneva come elemento dinamico per il risanamento della Chiesa. Il suo fondatore aveva dato l'avvio al movimento femminile delle Damianite (Secondo Ordine Francescano) ed aveva fornito esaurienti risposte a coloro che, pur non vestendo il "saio", avrebbero operato secondo il volere di Cristo (Terzo Ordine Francescano). Il numero dei seguaci era talmente cresciuto che, spesso, i maggiori problemi consistevano nel coordinare una forza così ingente.
Per questo, sempre maggiore importanza veniva conferita ai Capitoli, cioè alle riunioni annuali che cadevano nel giorno della Pentecoste. In quelle occasioni affluivano, alla Porziuncola, folle di frati penitenti. Momenti di elevata emozione si coniugavano con la fraternità ed il conforto della preghiera comunitaria. Uno di questi capitoli, tenutosi il 5 maggio 1217, sancì l'opportunità di effettuare numerose spedizioni evangelizzatrici non soltanto in Italia, ma anche nel resto dell'Europa e in Oriente.
Sulla prima missione in terra teutonica, Giordano da Giano riferisce episodi amari e, nello stesso tempo, curiosi. In margine al viaggio effettuato da una sessantina di frati, scrive: *Questi, penetrando nelle regioni della Germania e non*

conoscendo la lingua, richiesti se volessero alloggio, vitto o altre cose del genere, risposero "ia" e così furono da alcuni benignamente ricevuti. E, notando che con questa parola "ia" venivano trattati umanamente, decisero di rispondere "ia" a qualsiasi cosa che veniva loro richiesta. Per questo accadde che, interrogati se fossero eretici e se fossero venuti appunto per contaminare la Germania, così come avevano pervertito anche la Lombardia, di nuovo risposero "ia". Alcuni allora vennero incarcerati, altri, spogliati, furono condotti in giro nudi e fatti spettacolo comico per la folla. Vedendo dunque i frati che non potevano produrre frutto in Germania, se ne ritornarono in Italia. Per questo fatto la Germania fu reputata dai frati tanto inumana, che non osavano ritornarvi se non animati dal desiderio di martirio (Giord. 5).

Il mondo arabo era considerato dalla Chiesa non soltanto come temibile dirimpettaio sotto il profilo religioso, ma anche come continua minaccia militare e politica nei confronti delle terre occidentali. Questa seconda valutazione non veniva considerata da Francesco. Egli mirava, soprattutto, ad una presa di coscienza del valore della pace da parte dei mussulmani e non ad imporre la conversione. Infatti, la crociata della quale fu in parte testimone non fu vissuta con lo spirito di combattimento tra fedeli ed infedeli, piuttosto come un affratellamento. Quindi, confondere la missione francescana in Oriente con la crociata appare non soltanto operazione riduttiva, ma anche errata in termini storici e religiosi. Comunque, dal Capitolo del 1217 si ufficializzava un aspetto che, ad iniziare da quegli anni, darà un'impronta attiva ed un tono ancor più galvanizzante per il gran vigore del movimento fondato da Francesco.

XIII
ALLA “CONQUISTA” DELL’ORIENTE

Molti frati, ricevuta la benedizione, partirono per il mondo. Egidio si imbattè in un’impresa oltremodo difficile, approdando in Tunisia; Elia si diresse in Siria; altri fratelli attraversarono le Alpi, raggiungendo la Francia. Francesco, per la sua missione, scelse proprio la Francia e si pose in marcia con alcuni compagni.
Giunto ad Arezzo, venne informato che la città era in balìa di lotte intestine: opera del demonio, senza dubbio, che voleva fiaccare ogni cenno di buona volontà da parte degli uomini. *L’uomo di Dio, che aveva ricevuto ospitalità in un borgo fuori della città, vide su di essa i demoni esultanti, che eccitavano i cittadini a fare strage dei conterranei. Chiamò allora un frate di nome Silvestro, uomo di Dio di conveniente semplicità, e gli ingiunse: “Va davanti alla porta della città, e da parte di Dio onnipotente ordina ai demoni di uscire immediatamente”. Si affretta l’altro pio e semplice a compiere l’obbedienza, e premettendo la lode davanti al Signore, grida gagliardamente davanti alla porta: “Da parte di Dio e per comando del padre nostro Francesco, o demoni tutti, andate lungi di qua!” (II Cel. 108).*
Dopo qualche tempo l’ordine tornò ad Arezzo.
Proseguendo il viaggio, Francesco giunse a Firenze. Qui venne ricevuto dal cardinale Ugolino, suo ammiratore e parente del defunto Innocenzo III. Durante il colloquio

l'alto prelato gli sconsigliò vivamente di proseguire la missione in Francia, adducendo a motivo le influenze negative che alcuni ecclesiastici avrebbero potuto esercitare, in sua assenza, nei confronti dell'Ordine. Le parole del cardinale amico dovettero suonare come un allarme in quanto affievolirono non certo l'entusiasmo, ma l'intenzione di volgere ancora più a nord. Il desiderio di affrontare un lungo e duro viaggio non si attenuò, anzi Francesco meditava sempre più la presenza in terre lontane.
Intanto, l'11 giugno 1218, la bolla papale *Cum dilecti* dava una prima sistemazione scritta al movimento religioso. Poi, il Capitolo di Pentecoste del 1219 (26 maggio) stabiliva altre missioni in Francia, Germania, Ungheria, Spagna, Portogallo e Marocco. Francesco fremeva nell'attesa di partire.
Finalmente, il 24 giugno 1219 si imbarcava dal porto di Ancona su una nave crociata. Lo seguirono soltanto undici compagni; avrebbero voluto essere molti di più. Non era un caso ch'egli partisse al seguito degli armigeri di una "guerra santa". Il suo spirito e le sue intenzioni non erano rivolte soltanto agli "infedeli", per far sì che abbracciassero la "vera" religione, ma anche nei confronti degli stessi crociati affinché la "giustizia dell'uomo" non si tramutasse in violenza.
La nave toccò Candia, quindi San Giovanni d'Acri e gettò le ancore a Damietta, in Egitto, dove un lungo assedio costringeva il sultano Meleck-el Kamel a giorni di dura resistenza. Le parole di pace di Francesco furono rivolte, anzitutto, ai crociati ed ebbero un parziale successo, visto che alcuni di essi decisero di abbandonare le armi; ma ciò che infastidiva i comandanti ed inquietava le truppe erano i continui presagi di una disfatta imminente. Naturalmente, i

biografi non riconobbero, nella missione di Francesco, un aperto contrasto con la spedizione avversa ai saraceni. Costoro venivano dipinti, ed in taluni casi le atrocità della guerra condussero a credere, come autori di cruenti episodi. *Il Sultano, poi, aveva emanato un editto crudele, nel quale si diceva che avrebbe ricevuto la taglia di un "bisante d'oro" chiunque gli avesse portato la testa di un cristiano (Leg. Mag. IX 7).*

Giunse il tempo di agire. Un mattino, verso la fine dell'anno 1219, Francesco decise di entrare all'interno della città assediata: "Anche se dovrò camminare in mezzo alle ombre di morte, io non temo alcun male, perché Tu sei con me". Insieme a frate Illuminato, attraversò gli accampamenti crociati e si indirizzò verso le mura. *Andati un po' più oltre, si fecero loro incontro le guardie dei Saraceni, le quali, come lupi che si gettano in tutta fretta sulle pecore, catturarono selvaggiamente i servi di Dio e li trattarono con crudeltà e disprezzo, coprendoli d'ingiurie, fustigandoli e cingendoli di catene. Infine, dopo averli maltrattati e afflitti in tanti modi, per disposizione della divina Provvidenza e secondo il desiderio del servo di Dio, li condussero dinanzi al Sultano (Leg. Mag. IX 8).*

Narrano altre biografie, al riguardo del Sultano, che costui era uomo di ampie vedute e soprattutto pacifico anche se, per la carica che ricopriva, doveva comportarsi da buon politico e stratega. Nella stessa *Leggenda Maggiore* (IX 8) si afferma che: *anche il Sultano, osservando l'ammirabile fervore di spirito e le virtù di quest'uomo di Dio, lo ascoltava volentieri e lo invitava insistentemente a voler rimanere presso di lui. Il servo di Gesù Cristo, però, ispirato dall'alto, rispondeva: "Se vorrai convertirti a Gesù Cristo tu e il tuo popolo, io, per amore di Lui, rimarrò volentieri*

con voi. Se tu hai ancora dei dubbi nell'abbandonare la legge di Maometto per abbracciare la fede di Gesù Cristo, ordina che venga acceso un gran fuoco, ed io entrerò in esso insieme con i tuoi sacerdoti. Così tu conoscerai quale sia la fede più vera e più santa e, quindi, quella da abbracciare con maggiore sicurezza".

Intorno a quel primo approccio con il Sultano, i biografi hanno molto fantasticato. Qualcuno racconta che Meleck-el-Kamel avesse voluto saggiare la fede ed il coraggio di Francesco, ponendo in terra un tappeto trapunto di croci cristiane per farle calpestare dal Santo, simboleggiando così il rinnegare della fede; nel caso contrario, se non fosse avanzato lungo il tappeto, avrebbe dimostrato la sua codardia.

La prova del fuoco è tra le tesi più tradizionali. *"Non credo che tra i miei sacerdoti ve ne sia qualcuno disposto ad esporsi alla prova del fuoco, o a qualunque altra specie di tormenti, per la sua fede". Difatti, egli si era accorto che uno dei suoi sacerdoti, sebbene fosse tra i più eminenti e innanzi negli anni, appena sentita quella proposta si era dileguato. Allora il Santo insisté: "Se mi prometti, per te e per il tuo popolo, di convertirti al culto di Gesù Cristo se io uscirò illeso dal fuoco, entrerò in esso da solo. Se rimarrò bruciato, ciò sarà da imputare ai miei peccati; se, invece, l'onnipotenza divina mi proteggerà, voi riconoscerete Gesù Cristo, potenza e sapienza di Dio, come vero Dio, Signore e Salvatore di tutti" (ibidem).*

Il Sultano non raccolse; una simile sfida metteva in dubbio la sua credibilità e quella del popolo. Rimase comunque stordito dalla fede di quell'uomo semplice e disarmante. Gli offrì, in cambio della salvezza dell'anima, molti preziosi doni che il Santo avrebbe potuto distribuire alla sua chiesa ed ai poveri. Naturalmente, Francesco non accettò.

Si lasciarono in fraternità, con l'augurio di rivedersi, un giorno. Ottenne un lasciapassare per visitare la Palestina, i luoghi santi dell'origine del cristianesimo. Giovanni di Brienne, re di Gerusalemme, fu talmente incantato dalla figura del Frate che espresse il desiderio di essere sepolto, alla sua morte, accanto al Penitente di Assisi.

I crociati espugnarono Damietta, ma il loro trionfo si tramutò in disagio davanti alla vista dei corpi martoriati dei vinti, rei di aver difeso un credo che non era condiviso.

Meleck-el Kamel si sarebbe convertito più tardi, quando ormai Francesco aveva oltrepassato la soglia della esistenza terrena.

Intanto, sul fronte occidentale sei frati attraversavano la Spagna, decisi a raggiungere il Marocco. Uno di essi, Vitale, dovette però abbandonare i compagni perché colto da una grave malattia. Gli altri non si sarebbero arresi davanti a nessuna difficoltà. Ad Hispalis cercarono di predicare nella moschea, un luogo tradizionalmente chiuso ai non praticanti, e vennero imprigionati in una torre. Alcune cronache antiche raccontano che il manipolo di frati non si dette per vinto e, trovata la maniera di farsi sentire anche dall'alto della torre, riprese a predicare. I mussulmani, non avendo intenzione di giustiziarli, seppure avessero infranto molte delle loro leggi, decisero di espellerli e trasferirli, forzatamente, in Marocco. Ma era quello che i frati desideravano. Qui, noncuranti degli avvertimenti alla moderazione, ripresero a "cantare" la parola di Dio davanti ad ogni mussulmano. Quando il gruppo di penitenti, ormai lanciato in una pericolosa avventura, si spinse oltre "ogni frontiera", pur di esprimere la propria motivata "pazzia", si aprirono nuovamente le porte della prigione. Vennero torturati, scherniti, seviziati e atrocemente giustiziati.

Le gesta di quei figli di Dio spinsero Fernando di Lisbona, canonico di Sant'Agostino, ad unirsi ai francescani: diventerà Sant'Antonio da Padova.
Intanto Francesco aveva intrapreso la strada del ritorno in Italia, in anticipo rispetto al programma prefisso. Troppi segnali contrastanti sull'andamento dell'Ordine gli erano giunti durante la sua assenza dall'Italia. I motivi di preoccupazione aumentarono quando Dio gli inviò questo messaggio: *"Francesco, ritorna, perché il gregge dei poveri tuoi frati, che hai radunato nel mio nome, è già disperso, cammina fuori strada ed ha bisogno della tua guida perché si unisca, rafforzi e cresca. Hanno già cominciato a deviare da quella via di perfezione che hai tracciato ad essi, e non stanno più fermi nel santo amore e nella pratica della carità, umiltà e povertà e nella innocenza della semplicità nella quale li hai piantati e fondati". Dopo questa apparizione, fatto visita al sepolcro di Cristo, tornò prestamente nella terra dei cristiani. Ritrovò il suo gregge disperso, come gli aveva detto il Signore, non più unito come egli l'aveva lasciato e, ricercandolo con tanta fatica e lacrime, lo radunò (Clar. II 1).*
Questo brano di Angelo Clareno non ha bisogno di commenti. Ricordate le parole del cardinale Ugolino quando consigliò a Francesco di interrompere il suo viaggio per la Francia? Quel monito si ritrova nelle parole di Dio. Scriveva ancora Clareno: *Dunque, al tempo di San Francesco, tra i frati, per quanto appariva all'esterno, nell'abito, nella coabitazione e nell'obbedienza, c'era unità; ma quanto alla osservanza pura e amorosa della Regola e all'obbedienza all'intenzione del fondatore e alla sequela interiore di lui, c'era invece scisma e grande diversità. Era ben lontana da loro l'unanimità: nel sapere, nella stessa carità, nell'agire*

insieme, nel non fare nulla per spirito di contesa e per ricerca della gloria vana, nel ritenersi vicendevolmente l'uno superiore dell'altro, nel non ricercare le cose di utilità propria, ma come fondatori, ricercare solo le cose di Cristo e quelle di utilità degli altri e di mutua edificazione (Clar. II 9).
Il periodo immediatamente successivo al ritorno *da oltremare* è ricco di episodi prodigiosi. Uno di questi, riportato da Bonaventura da Bagnoregio (e raffigurato da Giotto nella Basilica Superiore), riguarda la morte del Cavaliere di Celano. Passando per l'Abruzzo, il Beato si fece vincere dalle insistenti richieste di un signore di Celano che era ansioso di dividere la sua mensa con lui. Prima di iniziare a mangiare, come era suo solito, il Santo alzò gli occhi in alto, pregando. Subito dopo prese in disparte il Cavaliere e gli disse: *"Fratello ospite, come vedi, vinto dalle tue devote insistenze, sono venuto a mangiare a casa tua. Ebbene, adesso tu devi seguire prontamente quanto sto per dirti, perché tu non mangerai qui oggi, ma in un altro luogo. Confessati subito e accompagna la tua confessione con sincero dolore dei tuoi peccati, in modo che nella tua coscienza non rimanga nulla che tu non abbia sinceramente accusato. Il Signore ti vuol dare oggi stesso il premio, per aver accolto con tanta devozione nella tua casa i suoi poverelli" (Leg. Mag. XI 4).* Il Cavaliere seguì i suggerimenti alla lettera; si confessò e si preparò ad accogliere la morte. Spirò qualche istante dopo.
E' scritto nel Vangelo: "Chi accoglie un Profeta, riceverà la ricompensa del Profeta".

XIV
LA GRANDE RINUNCIA

Alla partenza per l'Oriente Francesco aveva nominato suoi vicari Matteo da Narni, che operava direttamente nella Porziuncola, e Gregorio da Napoli che rivestiva il compito di organizzare il collegamento tra le varie comunità francescane. Già nel 1217, il cardinale Ugolino aveva messo in guardia il Santo su un possibile allontanamento dalla "primitiva" parola da parte di alcuni frati dell'Ordine. In effetti, in assenza di Francesco, venne convocato il Capitolo di Pentecoste del 1220, durante il quale Matteo e Gregorio vararono un programma in cui spiccavano più duri obblighi di digiuno e di astinenza che, eludendo in parte l'originaria "norma di vita", propendevano verso forme più propriamente claustrali e monastiche; basti considerare che il digiuno era allargato a cinque giorni della settimana. Questa accentuazione rigorista, nel già duro programma quotidiano, contrastava con il pensiero del Santo, soprattutto nei riguardi di quella libertà e di quelle autonomie di pensiero e di azione che erano state il pilastro della originaria spinta interiore dei penitenti. Ciò che più amareggiò Francesco, nell'apprendere le decisioni del Capitolo, era il vedere introdotto uno schematismo che vincolava l'azione.

Due fatti importanti si ebbero in quei mesi, collegabili alle decisioni del Capitolo del 1220: la nomina del cardinale Ugolino a protettore dell'Ordine e la rinuncia da parte di

Francesco alla guida del movimento. Il cardinale, attratto dalla figura e dalla grandezza spirituale del Santo, su richiesta di quest'ultimo ebbe la nomina da parte di Onorio III. Il motivo ufficiale della seconda decisione ricade nella stanchezza che il Santo aveva accumulato in quegli anni di missioni e nel suo precario stato di salute. Lo stuolo degli aderenti era divenuto talmente numeroso che occorreva un'energia più "terrena" per guidare il gregge. La miriade di problemi privava Francesco, sempre più spesso, di quei momenti da riservare alla preghiera e alla meditazione; momenti a cui non poteva e non voleva rinunciare. Ma, forse, non tutto si esauriva lì. Probabilmente c'era dell'altro, riferibile all'amarezza di vedere una frangia dei suoi seguaci più schiavi delle regole che liberi in esse. Francesco era per un'autonomia che desse respiro all'anima, che non fosse, invece, teatro dell'abitudine. Dette, quindi, l'annuncio delle sue dimissioni e della nomina di Pietro di Cattanio. *"Da questo momento io sono morto, per voi. Ma ecco frate Pietro di Cattanio al quale io e voi tutti dobbiamo obbedire". E prosternandosi in terra davanti a lui, gli promise obbedienza e rispetto. I frati tutti si misero a piangere e alti gemiti strappava loro il profondo dolore, poiché si vedevano diventati orfani, in certo senso, di un Padre tanto amato. Si rialzò il Santo e levando gli occhi al cielo, giungendo le mani, disse: "Signore, affido a te la famiglia che fino ad ora hai consegnato alla mia cura e che adesso, per la malattia che tu sai, dolcissimo Signore, non essendo più in grado di provvedervi, io affido ai ministri. Essi dovranno render conto nel giorno del giudizio dinnanzi a te, Signore, se qualche frate, per loro negligenza, malesempio o correzione troppo aspra, si sia perduto". Da quel momento, Francesco rimase suddito fino alla morte, comportandosi in ogni cosa più umilmente d'ogni altro frate (Spec. Perf. 39).*

Ma Pietro di Cattanio, colui che viene indicato come il secondo compagno di Francesco, dopo Bernardo, morì appena qualche mese dopo.
L'avvicinarsi del Capitolo della Pentecoste del 1221 era una buona occasione per decidere il nome del successore. La riunione del 30 maggio passò alla storia dell'Ordine per numerosi aspetti importanti. Ad essa fu dato il nome di Capitolo delle Stuoie, in quanto molti dei cinquemila frati convenuti a Santa Maria degli Angeli trovarono ricovero sotto alcune capanne di canne, su giacigli totalmente improvvisati.
E' stato scritto che in occasione di quel Capitolo (qualcuno afferma si trattasse di quello del 1218) i cittadini di Assisi innalzarono una grande casa in muratura per l'ospitalità dei frati. Quando Francesco tornò da uno dei suoi viaggi e si accorse della nuova edificazione, rimproverò i compagni credendo che avessero dimenticato il principio che il luogo dovesse restare esempio di povertà e di semplicità; salito sul tetto della costruzione cominciò a gettare le tegole. A quel punto i cittadini ed i soldati l'avvertirono che quella casa apparteneva al Comune di Assisi. Solo allora rinunciò all'intenzione di demolire il fabbricato.
Al mantenimento dei frati convenuti sopperì la popolazione che, con grande slancio, fece affluire i generi alimentari necessari. Alla Porziuncola si dettero appuntamento molti personaggi di rilievo, tra cui il cardinale Raniero Capocci ed alcuni vescovi. Tra le decisioni prese vi fu quella di inviare missionari in terra tedesca: ben novanta frati vennero scelti per quel nuovo viaggio. Tra essi ricordiamo il responsabile di quel drappello, Cesario da Spira, proprio di origine teutonica, quindi Tommaso da Celano, il primo ed il più famoso tra i biografi del Santo, uomo di elevatissima cultura; seguono Giordano da Giano e Giovanni da Pian del Carpine; quest'ultimo, più tardi,

raggiungerà la terra dei tartari ancora prima di Marco Polo.
Durante il Capitolo delle Stuoie, al quale fu presente anche padre Fernando da Lisbona, venne eletto, in qualità di vicario dell'Ordine, frate Elia, una figura sulla quale i biografi si trovano spesso in contrasto.
Sembra che la decisione di quella nomina fosse scontata prima del Capitolo del 1221, visto che era stato proprio frate Elia a curarne efficacemente l'organizzazione.

XV
FRATE ELIA

Frate Elia fu uno dei personaggi più discussi del francescanesimo. Nacque a Tordibetto di Assisi (alcuni propendono per Cortona) intorno al 1180. Il suo ingresso nel movimento potrebbe risalire al 1211 (il Wadding riferisce che i primi contatti si ebbero proprio nel convento della cittadina toscana). E' indubbio che nel 1219 divenne Ministro Provinciale della Terrasanta, periodo durante il quale si prodigò molto per tentare di riunire la chiesa latina con quella greca. Alla morte di Pietro di Cattanio, Francesco lo nominò vicario generale. Su di lui cadevano, così, le incombenze organizzative, "politiche" e strategiche. Probabilmente il Santo aveva tenuto in debito conto le capacità di Elia e meno la sua personalità dalla quale molti rimanevano ammaliati. Anzi, la troppa sicurezza ostentata alimentava spesso motivi di inquietudine e di astio da parte degli altri fratelli penitenti. Molti gli rimproveravano un atteggiamento che spesso si scostava dalla semplicità francescana: *Frate Elia - che sempre appariva come la carne in lotta contro lo spirito del Santo, sebbene sotto il manto della discrezione e del bene - indossò una volta un abito che, per la lunghezza e l'ampiezza, la grandezza delle maniche e del cappuccio e per la preziosità del panno sembrava eccedere assai ed essere molto difforme da quella viltà che il Santo aveva prescritto (Arbor V 7).*

Altri giudizi erano ancora più severi: *Frate Elia, che si era dedicato alle sublimità della filosofia, segretamente trascinava dietro di sé una caterva di frati, sovvertiti dallo spirito di cupidigia e di vanità, mentre scavava sotto i suoi piedi la fossa, nella quale, sedotto, cadde e perì. E non capiva le sottigliezze e le astuzie di Satana, chè anzi, ignorandolo, gli preparava le strade, districava il cammino e raddrizzava i sentieri, opponendosi a Cristo nel fondatore (Clar. II 9).* Ma, nello stesso tempo, era pieno di premure nei confronti del Santo: in Oriente lo seguì in ogni missione, durante la malattia gli fu sempre vicino, dimostrandogli assoluta fedeltà. In punto di morte Francesco depositerà nelle mani e nel cuore di Elia la benedizione per tutti i frati. Nel 1232 venne nominato Ministro Generale, carica che mantenne per sette anni. Grazie alla sua opera l'Ordine ebbe grande sviluppo ed ottima organizzazione. Ma le critiche erano aspre e numerose. Salimbene lo accusava di condurre una vita fastosa e di preferire ai conventi la corte del papa e quella dell'imperatore (Gregorio IX e Federico II). Giordano da Giano lo rimproverava di non aver convocato i capitoli generali per ben sette anni di seguito.

Nel 1239 venne esonerato dall'ufficio di Ministro Generale e più tardi rimosso anche dall'incarico di custode della Basilica che si stava ultimando. Si ritirò - qualcuno dice con sdegno - nell'eremo di Celle di Cortona. Nel frattempo, Federico II incorreva in una seconda scomunica. A quel punto Elia cadde in un grossolano errore strategico; tentò, autonomamente, una riappacificazione tra Papato ed Impero, non sapendo (o sapendo?) che il solo avvicinare un reggente scomunicato avrebbe scatenato i risentimenti dei nemici. Colpito anch'egli da scomunica, cadde irrimediabilmente in disgrazia e bollato come ghibellino. Morì nel 1253.

Nei riguardi della figura di Elia, è emblematico l'episodio che si racconta nei *Fioretti* (XXXVIII). Un giorno Dio rivelò a Francesco che frate Elia, per i peccati che avrebbe commesso, sarebbe morto fuori dall'Ordine. Davanti ad un simile presagio il Santo reagì con avvilimento, evitando il più possibile il contatto con il compagno. Questi, accortosi di tale comportamento, cercò di avere spiegazioni. A quel punto, preso dal dolore, il Santo gli riferì le parole di Dio ed accolse le successive preghiere di Elia: *"Prega Iddio per me che, se può essere, egli revochi la sentenza della mia dannazione; imperò che si trova scritto che Iddio sa revocare la sentenza, se il peccatore ammenda il suo peccato; e io ho tanta fede nelle tue orazioni"...E pregando Iddio divotissimamente per lui, intese per rivelazione che la sua orazione era da Dio esaudita quanto alla revocazione della sentenza della dannazione di frate Elia, e che finalmente l'anima sua sarebbe salva: ma che certo egli uscirebbe dell'Ordine e fuori dell'Ordine si morrebbe. E così avvenne.*

Nel corso dei secoli, spesso si è taciuto nei riguardi di questo personaggio anche se una prima, tiepida, "assoluzione" giungeva proprio dall'anonimo redattore dei *Fioretti*. Soltanto negli ultimi tempi studi approfonditi hanno riproposto il dilemma legato al suo ipotetico "tradimento", con esiti a volte giustificanti, altre volte aspri e severi. Crediamo che il "mondo" di Elia vada riconsiderato e compreso, soprattutto in virtù del rapporto con il Santo e alla luce degli sviluppi che, per suo merito, ebbe il francescanesimo dopo la morte del fondatore.

XVI
L'APPROVAZIONE DELLA REGOLA

Tornando allo storico raduno del 1221, Francesco sottopose lì, probabilmente, la *Prima Regula*, un documento che si richiamava alle indicazioni precedenti e veniva completato da numerosi riferimenti al Vangelo e alla Bibbia. Si riproponeva l'obbligo dell'obbedienza, della povertà e della castità; si istituiva un anno di noviziato; si ravvisava la necessità di praticare sempre e comunque il digiuno e la preghiera; si ricordava l'importanza del lavoro per il proprio mantenimento e il disprezzo del danaro e della proprietà. Alla carità si dava uno spessore ineludibile, ma non da meno era il ruolo riguardante l'umiltà, l'amore nei confronti dei nemici, l'obbedienza e la fedeltà nei confronti della Chiesa. La forma con cui si esprimeva la prima regola è quella dell'esortazione. Francesco si rivolgeva ai suoi pregandoli di vitalizzare le idee cardine del movimento.
La *Prima Regula* era fortemente ispirata al Vangelo: *La Regola che intendono darsi questi frati, cioè la vita che intendono realizzare è questa: vivere in obbedienza, in castità e senza proprietà e seguire la dottrina e l'esempio del Signore nostro Gesù Cristo il quale dice: "Se vuoi essere perfetto, va, vendi tutto quello che hai e ciò che ricavi dallo ai poveri; allora avrai un tesoro nel cielo. Poi vieni e seguimi. Se qualcuno vuol venire dietro di me, rinunci a se stesso, prenda la sua croce e mi segua. Se qualcuno viene*

con me e non ama me più del padre, della madre, della moglie e dei figli, dei fratelli e delle sorelle; anzi se non mi ama più di se stesso, non può essere mio discepolo. Chiunque abbandonerà padre e madre, la moglie o i figli, case, campi per il mio amore, riceverà cento volte di più e avrà in eredità la vita eterna" (trad. G. Racca). Questi passi, contenuti all'inizio della Regola, sono tratti direttamente dai Vangeli di Matteo e di Luca. E' la prova tangibile che l'opera di Francesco si alimentava esclusivamente della parola di Dio.

Il documento non fu sottoposto all'approvazione ecclesiastica in quanto su di esso furono sollevati dubbi e proteste. Tutto ciò indusse il Santo a rivedere il lavoro. Si appartò, seguito da frate Leone, a Fontecolombo, come aveva già fatto in precedenza per la prima stesura. Ispirato da Dio, dettò a Leone il nuovo testo che appariva, comunque, assai simile al primo, cioè pregno di una libertà interiore che impensieriva i frati. Alcuni di essi si rivolsero a frate Elia, esprimendo perplessità: *"Si è saputo che questo frate Francesco fa una nuova Regola, e noi temiamo che la faccia così dura che non possiamo osservarla; vogliamo che tu vada a trovarlo e gli dica che non vogliamo essere sottomessi a questa Regola; la faccia per sé e non per noi" (Leg. per. 113).* Questa frase, più di ogni altra, traduceva l'ansia e il disaccordo che serpeggiava nell'Ordine. Così, il Santo, amareggiato, si rivolse al Signore il quale rispose che quanto era stato scritto non era frutto di Francesco, ma era stato direttamente dettato da Lui. *"Ed io voglio* - disse il Signore - *che questa Regola sia osservata alla lettera, alla lettera, alla lettera e senza commenti, senza commenti, senza commenti" (ibidem).* I frati tornarono indietro rimproverandosi.

Ma le dispute non si sarebbero sanate se sull'argomento non fossero direttamente intervenuti Onorio III ed il cardinale Ugolino. Il nuovo testo, la *Regola Seconda*, fu sottoposto al Capitolo del 1223 ed approvato il 29 novembre dello stesso anno con la bolla papale *Solet Annuere*. La Regola Bollata riduceva gli articoli da ventitrè a dodici e si presentava assai più snella della precedente, anche se i princìpi, soprattutto quelli legati alla povertà, apparivano più rigidi. Inoltre si faceva riferimento, per la prima volta, all'Ordine dei Frati Minori e si stabilivano i rapporti tra tale movimento ed il mondo ecclesiastico. Seguivano una lunga serie di indicazioni pratiche che alludevano alla gerarchia e al tipo di abbigliamento dei frati. Per i novizi: "*...due tonache senza cappuccio, il cingolo, i calzoni e il "capparone", a meno che, in qualche caso, ritengano di fare diversamente, secondo Dio...*I frati *che hanno fatto la professione religiosa abbiano una tonaca con il cappuccio e un'altra senza cappuccio, chi volesse averla. In caso di necessità possono portare calzature.* Tutti *indossino abiti di poco prezzo e possono rafforzarli con sacco ed altre pezze con la benedizione di Dio. Però li ammonisco ed esorto a non disprezzare né condannare coloro che portano vesti raffinate e costose ed usano cibi e bevande ricercate. Ognuno, piuttosto, giudichi e disprezzi se stesso*".
Particolare fermezza si disponeva nei confronti dei rapporti con l'altro sesso: "*Proibisco fermamente a tutti i miei frati di avere con donne amicizie e familiarità tali da destare sospetto. E non devono entrare nei monasteri femminili, eccettuati quelli che hanno uno speciale permesso dalla Santa Sede. Non facciano da padrini sia di uomini che di donne, affinché non nasca occasione di scandalo tra i frati o nei riguardi dei frati*".

A proposito della familiarità con le donne, scriveva Tommaso da Celano nella *Vita Seconda* (112): *Diceva* (Francesco) *che frequentarle e sfuggire alla loro seduzione, a meno che non si tratti di uomo di provata virtù, è tanto facile quanto, al dire della Scrittura, camminare sul fuoco e non scottarsi le piante dei piedi!* E' un giudizio sin troppo pesante, nonostante la credibilità che possiamo dare a Tommaso da Celano. Una riflessione questo argomento la merita. Si può ovviamente partire dal presupposto che la società nel basso medioevo era piuttosto prevenuta nei confronti del sesso femminile, totalmente asservito al maschio che esercitava il classico binomio di potere "padre-padrone". Le decisioni spettavano all'uomo: in famiglia, nell'educazione, nel lavoro, nelle relazioni con gli altri. Spesso si misurava la donna in base alla sua affidabilità e ubbidienza. Non essendoci una presa di coscienza da parte della donna, il mondo che la riguardava era totalmente sottomesso all'uomo. Tutto ciò può giustificare il Celano quando dice: *Le donne gli erano così moleste, che avresti creduto trattarsi non di una ragione di prudenza e d'esempio, ma di vera paura od orrore. Quando doveva affrontare la loro importuna loquacità, imponeva il silenzio con la brevità e umiltà delle sue parole, abbassando lo sguardo; talvolta invece stava con gli occhi fissi al cielo, come per trovarvi la risposta da dare a quei chiacchiericci così terreni (II Cel. 112).* In una biografia ufficiale, approvata dall'Ordine e dalla Chiesa, tutto ciò può essere spiegato semplicemente così: nel prontuario del "buon frate" non vi era spazio alcuno per la donna. E' chiaro che quando si parlava di essa occorreva dipingerla come sin troppo "terrena". Non toccare ché scotta! La sintesi è questa. Eppure, continuava il Celano: *Invece, quelle il cui spirito per l'assidua devozione era divenuto tempio della sapienza, le istruiva con discorsi meravigliosi nella loro brevità. Quando parlava con qualche donna, pronunciava ogni parola ad alta voce, in maniera da essere udito da tutti (II Cel. 112).* E' forse eccessivo, qui, il Celano. Siamo convinti che Francesco non avrebbe permesso a se stesso, per non destare sospetti, di rendere pubblica ogni conversazione con le donne. La sua libertà non si sarebbe mai ridotta a tal punto. *Una volta disse a un compagno: "Ti confesso sinceramente, carissimo, che se le guardassi in volto non ne riconoscerei che due; di questa e di quell'altra mi è ben noto il viso, di altre non lo conosco".* E i pregiudizi del primo biografo raggiungono l'apice nel passo seguente: *Esse sono di ostacolo a chi vuol percorrere l'arduo cammino della santità e vedere il divino volto splendente di grazie.* Francesco non avrà pensato né affermato simili assurdità e non soltanto perché aveva un'altissima considerazione per la madre, un fortissimo affetto per Giacomina de' Settesoli, ma soprattutto perché aveva scelto una donna, Chiara, alla guida dell'Ordine parallelo.

XVII
VIVERE IL DOLORE DELLA CROCE

L'elezione di frate Elia a vicario generale dell'Ordine non poneva la figura di Francesco in secondo piano. Tutt'altro! Egli era riconosciuto, inequivocabilmente, come il capo carismatico del movimento. L'aver lasciato la gestione a frate Elia significava, nonostante tutto, poter percorrere, "indisturbato", la strada verso Dio, una strada che veniva tracciata per l'intera umanità.
Nell'approssimarsi della fine dell'anno 1223, in un probabile viaggio dalla Porziuncola a Roma, Francesco si ritrovò a percorrere la Valle Reatina. Decise così di fare una sosta a Greccio, in un luogo solitario che gli era stato donato, in precedenza, da Giovanni Velita. Incontrandosi proprio con lui, il Santo avanzò la proposta di rappresentare, in quel paesaggio che sapeva d'incanto, la nascita di Gesù. Disse a Giovanni Velita: *"Se hai piacere che celebriamo a Greccio questa festa del Signore, precedimi e prepara quanto ti dico. Vorrei raffigurare il bambino nato in Bethlehem, e in qualche modo vedere con gli occhi del corpo i disagi in cui si trovava per la mancanza di quanto occorre a un neonato; come fu adagiato in una greppia, e come tra il bove e l'asinello sul fieno si giaceva" (I Cel. 84).*
La descrizione del Celano è bellissima, quasi pagine di poesia: *Giunge il giorno della letizia, il tempo dell'esultanza; sono convocati i frati da parecchi luoghi, e gli uomini e*

le donne della regione festanti portano, ognuno secondo che può, ceri e fiaccole per rischiarare la notte, che con il suo astro scintillante illuminò i giorni e gli anni tutti. Giunge infine il Santo di Dio, vede tutto preparato e ne gode; si dispone la greppia, si porta il fieno, son menati il bue e l'asino. Si onora ivi la semplicità, si esalta la povertà, si loda l'umiltà, e Greccio si trasforma quasi in una nuova Bethlehem. La notte riluce come pieno giorno, notte deliziosa per gli uomini e per gli animali; le folle che accorrono si allietano di nuovo gaudio davanti al rinnovato mistero; la selva risuona di voci, e agli inni di giubilo fanno eco le rupi. Cantano i frati le lodi del Signore, e tutta la notte trascorre in festa; il Santo di Dio se ne sta davanti al presepio, pien di sospiri, compunto di pietà e pervaso di gioia ineffabile (I Cel. 85).

Così, dopo più di dodici secoli, si avvolgeva di nuova emozione uno degli episodi più cari alla cristianità. Nasceva il presepe e Greccio diventava la Bethlehem d'occidente.

Dal Natale 1223 il presepe è diventato il simbolo di un'atmosfera che conduce, attraverso fascino e suggestione, alle origini della nostra storia di credenti. Intorno a questa rappresentazione, grazie alla diffusione profusa dai francescani prima e dai domenicani e dai gesuiti dopo, si è sviluppata una vera e propria arte. Probabilmente Francesco non era cosciente di tutto ciò, egli voleva soltanto vivere e far vivere un momento di magica religiosità.

I mesi che seguirono furono dedicati soprattutto alla preghiera e alla contemplazione. Il corpo del Santo, debilitato da estenuanti percorsi, dal freddo, dalla pioggia, dalla neve, dai continui digiuni e, forse, da qualche incomprensione, era fortemente provato. Ma l'animo protendeva sempre più verso Dio.

Intanto, nel Capitolo del 2 giugno 1224, si decideva la missione verso l'Inghilterra. Francesco non si dava per vinto e volendo far giungere il suo messaggio lontano si servì della scrittura, raramente sua, quasi sempre di frate Leone che riportava minuziosamente il suo dettato. Una di quelle lettere venne inviata ai governanti, ricordando loro che la morte terrena si sarebbe in ogni caso avvicinata, supplicandoli, quindi, di non dimenticare, nelle varie attività, la presenza del Signore. Quel testo è di un'attualità sorprendente: *"Vi prego, allora, con tutto il rispetto, che, presi come siete dagli impegni e dalle preoccupazioni di questo mondo, non abbiate a dimenticare il Signore...E quando verrà il giorno della sua morte, tutto quello che si illudeva di avere gli sarà portato via; anzi, quanto più uno è importante ed istruito in questo mondo, tanto più severamente sarà punito per i suoi errori".*
Più volte gli storici si sono soffermati sulla diffidenza che Francesco avanzava nei confronti delle persone istruite e letterate. Tale diffidenza nasceva non tanto dalla insufficiente predisposizione per la cultura, quanto dalla convinzione che essa spesso non favoriva la strada della semplicità e della umiltà. Più si approfondiscono le conoscenze del sapere e più si allarga il divario tra le persone. Nuove conoscenze ed approfondimenti agiscono, a volte, come trincee che isolano psicologicamente l'uomo. Era questa la paura di Francesco. Per questo egli amava gli spiriti semplici che più degli altri potevano ambire a varcare le soglie del Paradiso.
Nonostante la precarietà del suo fisico, non era ancora giunto il momento di adagiarsi sopra un giaciglio. Insieme a Leone, Silvestro, Masseo, Illuminato e Angelo di Tancredi raggiunse il Monte della Verna, per l'ultima volta.

A quel viaggio si potrebbe assegnare il “miracolo della sorgente”, successivamente raffigurato da Giotto nella Basilica Superiore. Gli storici francescani raccontano che mentre risaliva il monte in groppa ad un asino, l’uomo che guidava l’animale fu preso da sete fortissima tanto da starne male. Non essendoci sorgenti lungo il sentiero, Francesco si rivolse al Signore e subito, dalla roccia, scaturì l’acqua che dissetò il guidatore.
Quei dirupi, le fenditure nella roccia, la boscaglia fittissima dovevano essere testimoni di un ulteriore, grande, miracolo. Visse alcuni giorni tra la natura aspra, appartato dai compagni, cibandosi soltanto di un pezzo di pane e di poca acqua. La preghiera, non era una novità, rappresentava il suo alimento. Nell’estasi, rivolse al Signore due richieste: vivere il dolore della croce e l’amore profondo per i peccatori. Dio lo ascoltò e gli apparve in una visione abbagliante ed enigmatica: *Vide in una visione divina stare al di sopra di lui un uomo, con sei ali a guisa di serafino, con le mani distese e i piedi uniti, confitto alla croce; due ali si alzavano sul capo, due si distendevano per volare, le due ultime coprivano tutto il corpo (II Cel. 94).* Davanti a quella straordinaria immagine rimase in visibilio, ma nello stesso tempo rapito dalla malinconia per la mancata comprensione del messaggio. Quando la visione si dissolse le stimmate di Cristo erano incise sul suo corpo. Mani e piedi erano come trapassati da poderosi chiodi, dal costato usciva sangue vivo: erano i segni dell’Onnipotente. Le cronache datano quell’episodio al 14 settembre 1224.
La notizia delle ferite sul corpo di Francesco si diffuse a tal punto che il ritorno a Santa Maria degli Angeli venne ritardato dalla gente che voleva vedere i segni del Signore e supplicava guarigioni per sé e i propri familiari.

La strada che scendeva dalla Verna venne percorsa in un tempo piuttosto lungo in quanto le stimmate provocavano forti dolori a Francesco; in groppa all'asinello il foro al costato, a causa dei frequenti sobbalzi, lanciava continui richiami alla sofferenza. Gli tornavano in mente i passi della Regola: *"Ordino a tutti i miei frati, tanto a quelli che si trovano in viaggio, quanto a quelli che risiedono in qualche luogo, di non mantenere presso di sé o presso altri, animale alcuno. E non è loro lecito cavalcare se non in caso di malattia o di grave necessità"*. Ma non potendo ottemperare a tale comando se ne rattristava, seppure la sua condizione non permetteva altra scelta.
Nei paesi che attraversava vi era aria di giubilo e di festa. La notizia del suo passaggio e del miracolo di cui era stato oggetto aveva fatto il giro delle vallate. Così la gente era desiderosa di incontrarlo, di toccarlo, di stringergli la mano, di baciarlo. Ormai la sua "gloria" non conosceva confini.

XVIII
IL CANTICO DELLE CREATURE

Durante l'inverno tra il 1224 e il 1225, fatto appello alle esigue forze che gli restavano, Francesco espresse il desiderio di effettuare ancora una missione. Cavalcando un somarello e accompagnato da alcuni frati, percorse un itinerario tra Umbria, Marche, Lazio e Abruzzo. Poi, fiaccato dalla fatica e dai dolori che la malattia agli occhi e al resto del corpo gli procurava, rientrò alla Porziuncola.

Più tardi, ormai esausto, comunicò ai frati la volontà di essere condotto a San Damiano, dove aveva ricevuto il primo messaggio di Dio. Vi rimase cinquanta giorni (siamo nella primavera del 1225), sottoponendosi alle amorevoli cure delle Damianite.

Nonostante l'aggravarsi della cecità, il ritrovarsi in quel luogo di pace lo riempiva di gioia; era quasi un'estasi che accompagnava la sua preghiera e la sua sofferenza. Sembra proprio che a causa del dolore il Santo si fosse rivolto al Signore nella speranza di sentire alleviata l'acutezza di quegli spasmi. Dio rispose che doveva esultare e non chiedere nulla in cambio perché quei segni ai piedi, alle mani e al costato lo avvicinavano al grande Regno dove a lui era riservato un posto di primo ordine. Fu proprio quella certezza che lo rinvigorì nello spirito e gli ispirò un canto dolcissimo, la prima lirica nella storia del volgare umbro: il *Cantico delle Creature*.

Altissimu, onnipotente bon Signore,
tue so' le laude, la gloria e l'honore et onne benedictione.
Ad te solo, Altissimo, se confano
et nullu homo ène dignu te mentovare.
Laudato sie, mi Signore cum tucte le tue creature,
spetialmente messor lo frate sole,
lo qual è iorno et allumini noi per loi.
Et ellu è bellu e radiante cum grande splendore,
de te, Altissimo, porta significatione.
Laudato si, mi Signore, per sora luna e le stelle,
in celu l'ài formate clarite et pretiose et belle.
Laudato si, mi Signore, per frate vento
et per aere et nubilo et sereno et onne tempo,
per lo quale a le tue creature dai sustentamento.
Laudato si, mi Signore, per sor acqua,
la quale è multo utile et humile et pretiosa et casta.
Laudato si, mi Signore, per frate focu,
per lo quale ennallumini la nocte,
et ello è bello et iocundo et robustoso et forte.
Laudato si, mi Signore, per sora nostra matre terra,
la quale ne sustenta et governa
et produce diversi fructi con coloriti flori et herba.
Laudato si, mi Signore, per quelli ke perdonano per lo tuo amore,
et sostengono infirmitate et tribulatione.
Beati quelli kel sosterranno in pace,
ka da te, Altissimo, sirano incoronati.
Laudato si, mi Signore, per sora nostra morte corporale,
da la quale nullu homo vivente po skappare.
Guai acquelli ke morrano ne le peccata mortali;
beati quelli ke trovarà ne le tue sanctissime voluntati,
ka la morte secunda nol farrà male.
Laudate et benedicete mi Signore
et rengratiate et serviateli cum grande humilitate.

Tra gli scritti di Francesco, il *Cantico delle Creature* è il più conosciuto. Esso rappresenta l'esito più alto del suo messaggio di spiritualità ed è stato considerato come "il più bel pezzo di poesia religiosa dopo i Vangeli". Ci troviamo di fronte ad una preghiera e ad una lirica di elevatissimo valore cosmico. Nella prima parte vi è la lode ed il ringraziamento a Dio, nella seconda la benedizione per quanti operano per il bene degli altri, nella terza l'invito per gli uomini a ringraziare e servire il Signore con grande umiltà. C'è, in esso, tutta la forza spirituale degli elementi naturali: il fuoco forte e gioioso, il vento potente e sereno, l'acqua umile e preziosa, la terra utile e fruttuosa. Sottinteso è l'amore nei confronti degli animali, con i quali Francesco ebbe sempre un rapporto di grande familiarità; con gli uccelli, in modo particolare, con i quali dialogava ed ai quali inviava prediche ed esortazioni ad essere anch'essi grati al Signore dell'universo. Ma non soltanto agli uccelli erano rivolte le sue attenzioni e le sue parole. Amava anche i lupi, come quello che terrorizzò gli eugubini; ad esso bastò parlargli per renderlo mansueto.
I giorni trascorsi a San Damiano furono contrassegnati dalla preghiera e dalla sofferenza. La salute non ne ebbe miglioramento. Così, il cardinale Ugolino e frate Elia ne consigliarono il trasporto a Rieti. In quel periodo, infatti, la cittadina ospitava al gran completo la Corte Papale a causa di turbolenze politiche che avevano investito la Città Eterna. Con la corte si erano trasferiti anche i medici più esperti d'Italia i quali tentarono di diagnosticare la malattia agli occhi di Francesco. Ma nulla risultò utile, nemmeno la cauterizzazione delle tempie, dolorosissima perché praticata con ferri roventi: *Gli fu dunque cauterizzata la testa in più punti, incise le vene, e messi impiastri e iniettati*

collirii, ma senza alcun giovamento, che anzi si può dire continuasse a peggiorare sempre (I Cel. 101).
I medici consigliarono al Santo di andare a Siena ove la salubrità della zona e la dolcezza del clima potevano, almeno in parte, alleviargli il dolore.
La malattia agli occhi era soltanto un aspetto del precarissimo stato fisico di Francesco. Gli storici danno cenni su questo aspetto. Alcuni affermano che già il parto di Madonna Pica era stato difficilissimo. Dopo la lunga affezione contratta nelle carceri di Perugia lo troviamo, nel 1212, succube della malaria. L'anno successivo fu colto da una fortissima laringite-faringite che lo privò, per qualche tempo, della parola. Dopo il suo viaggio in Egitto si ammalò di oftalmia, processo infiammatorio agli occhi che lo debilitò più di ogni altra infermità. Per giunta, nel corso degli anni, le condizioni del suo stomaco peggiorarono sempre più, forse era ulcera, forse tumore.
Nella primavera del 1226 volse, quindi, in direzione di Siena. Si racconta che durante quel viaggio il gruppo ebbe uno strano incontro: si fecero avanti tre donne che salutarono il Santo in maniera insolita: "Ben venga madonna Povertà". Francesco fu felice di quell'inconsueta frase e dette ordine di donare loro qualche moneta. Ma quando le donne oltrepassarono i frati, come d'incanto svanirono, lasciandoli nello stupore. La simbologia riconduce la presenza delle tre figure femminili all'obbedienza, alla povertà e alla castità.
La permanenza a Siena non ottenne risultati, anzi una notte Francesco fu scosso da una violenta emorragia; si temette il peggio, tanto che espresse il desiderio di dettare un breve Testamento. *A tal notizia, frate Elia accorse velocemente a lui da lontano; e alla sua venuta il Padre santo migliorò al*

punto da poter con lui abbandonare Siena e recarsi alle Celle presso Cortona. Ma dopo poco tempo che vi dimorava, gli si gonfiarono il ventre, le gambe e i piedi, e tanto progredì il male di stomaco che non poteva quasi prender più cibo. Pregò allora frate Elia di farlo riportare ad Assisi (I Cel. 105).

XIX
UN CORO DI ALLODOLE FESTANTI

Il viaggio che avrebbe ricondotto Francesco in Assisi non seguì l'usuale percorso. Si evitò il territorio perugino perché un eventuale decesso in quelle terre avrebbe significato una possibile rivendicazione di diritti sul suo corpo da parte delle autorità. Fu consigliato di allungare il tragitto transitando per Gubbio e Nocera. Nei pressi di quest'ultima località un drappello di armigeri di Assisi prese sotto la propria sorveglianza il Santo ed il suo seguito. In tal modo fu scortato sino alla città natale. Qui gli assisani lo attendevano in preda all'emozione. Venne sistemato nella residenza del vescovo, dove avrebbe trascorso gli ultimi giorni. Ma la morte, sebbene il corpo fosse attanagliato da atroci dolori, non l'avrebbe ancora raggiunto. Nonostante il fisico fosse assai provato, trovò il piacere di ascoltare musica e canti che invocava dai suoi frati. Le parole del *Cantico delle Creature* si diffondevano nelle immediate vicinanze del palazzo vescovile in ogni momento della giornata, tanto che frate Elia, invitato da alcuni compagni, fece osservare al Santo la inopportunità di quella melodia gioiosa in un momento di estrema drammaticità. Ma Francesco rispose: *"Fratello, lasciami godere nel Signore e cantare le sue lodi in mezzo alle mie sofferenze, poiché, per dono dello Spirito Santo, io sono così unito al mio Signore che, per sua misericordia, ho ben motivo di allietarmi nell'Altissimo!" (Spec. Perf. 121).*

In quei giorni Assisi viveva nel grigiore, per il contrasto che si era instaurato tra il podestà Berlingerio ed il vescovo Guido II (episodio che alcuni storici farebbero risalire al 1225); il primo ostentava un'obiettività formale che non si riscontrava nella pratica, il secondo non accettava ingerenze che opacizzavano la sua immagine di pastore di anime. Giunti ai ferri corti, il vescovo utilizzò l'arma della scomunica nei confronti del podestà e quest'ultimo, di rimando, vietò al popolo ogni tipo di vendita o di acquisto che potesse interessare la Curia. *Francesco era gravemente malato. Venuto a sapere di questa rottura, fu mosso a pietà per loro, massime perché nessuno si interponeva per fare la pace. Disse quindi ai suoi compagni: "E' gran vergogna per noi, servi di Dio, che il vescovo e il podestà nutrano tanto odio l'uno per l'altro, e nessuno si prenda cura di ristabilire la pace tra loro" (Spec. Perf. 101).* Disse ad alcuni dei suoi compagni di andare dal podestà e di invitarlo, in suo nome, a recarsi al vescovado. Poi si rivolse ad altri due frati dicendogli di portarsi davanti alle due autorità cittadine, podestà e vescovo, e di cantargli il *Cantico delle Creature* al fine di togliere la ruggine dai loro cuori.
Di quell'incontro non si ricordano parole, ma solo preghiere ed un canto inneggiante al perdono e alla pace. Poi, il silenzio di un'atmosfera palpitante di emozioni scese sui presenti. Berlingerio si inginocchiò e chiese a Guido II di essere perdonato; il vescovo lo accolse tra le proprie braccia e con umiltà chiese anch'egli perdono. La notizia di quella riconciliazione (che alcuni storici anticipano di un anno, prima del viaggio di Francesco a Siena) venne accolta con gioia dal popolo. Finalmente anche nella città di Assisi, scossa da timori e da violenze, tornava la pace.

Ma era ormai giunto il tempo di morire. E Francesco reclamava la "sua" Porziuncola. I frati, pressati dalle sue continue richieste, acconsentirono. Venne caricato su una barella e, sempre scortato da guardie armate, iniziò il suo ultimo viaggio.
Durante il percorso tra la città e la Porziuncola un turbinìo di ricordi si impossessò del Santo. I dolci declivi punteggiati di olivi che spuntavano dal terreno rossiccio e polveroso, l'erba odorosa dei campi, un vortice di uccelli che volteggiavano, riaprirono immagini del passato: i suoi genitori, l'opposizione di Pietro di Bernardone, il volto incontaminato della madre, i compagni di giochi e di avventure, la sua gioventù, gli amici, i vicoli, i sogni di cavaliere, le partenze fiduciose, le sue angoscie, le sue prime ansie, le prime "pazzie". Era trascorso tanto tempo da quel primo bacio al lebbroso, dalla prima chiesa restaurata, dalle prime penitenze. Mentre lo trasportavano a valle, disteso sulla barella, ebbe l'impressione di vivere un'altra vita, con le medesime sensazioni di quella che stava appena trascorrendo, con gli stessi episodi, gli stessi volti. Probabilmente pianse.
Davanti alla spianata al limite del fitto bosco di cerri, prima di entrare nel silenzio di luce filtrata, chiese ai suoi portantini di fermarsi e di voltarlo verso Assisi. *"Signore, credo che anticamente questa città fu soggiorno di uomini iniqui. Adesso vedo che, nella tua immensa misericordia, nel momento scelto da te, tu le hai mostrato la tua speciale sovrabbondante pietà, e unicamente per tua bontà l'hai scelta ad essere luogo e soggiorno di quelli che ti conoscono nella verità, rendono gloria al tuo santo nome e mandano a tutto il popolo cristiano un profumo di buona fama, di vita santa, di verissima dottrina, di perfezione evangeli-*

ca. Ti prego dunque, o Signore Gesù Cristo, padre delle misericordie, di non voler guardare alla nostra ingratitudine, ma di ricordarti sempre della immensa compassione che le hai dimostrato, affinché sia sempre il luogo e il soggiorno di quelli che ti conoscono veramente e che glorificano il tuo nome benedetto e glorioso nei secoli dei secoli. Amen" (Spec. Perf. 124).

Il corteo proseguì, attraverso il bosco, sino alla chiesetta della Porziuncola. Ora tutti i frati erano intorno a lui e cantavano, come egli desiderava. Risuonarono, ancora una volta, le note del *Cantico*, al quale, in punto di morte, sembra abbia fatto aggiungere questi versi:

Laudato si, mi Signore, per sora nostra morte corporale,
da la quale nullu homo vivente po skappare.
Guai acquelli ke morranno ne le peccata mortali;
beati quelli ke trovarà ne le tue sanctissime voluntati,
ka la morte secunda nol farrà male.

Meditò sull'Eucarestia e si apprestò a salutare la Vergine. La cella, giaciglio di morte, a pochi metri dal tempietto, ormai l'attendeva. Ricordò Chiara e le sorelle di San Damiano, benedicendole ed inviando loro un messaggio in cui le esortava a continuare nella difficile strada intrapresa.

Fece riferimento al *Testamento* dove aveva dettato le ultime volontà ai frati; in esso rammentava gli episodi della sua conversione, l'incontro con il lebbroso, l'amore per le chiese restaurate, il rispetto per la Chiesa e la Regola, l'importanza della sua continua attuazione, il lavoro onesto, mezzo per allontanare l'ozio; rammentò la povertà assoluta, l'obbedienza ai superiori, la semplicità dell'esistenza. Ricordò i primi compagni: Bernardo, Pietro, Egidio, benedicendoli.

Fece scrivere una lettera a Giacomina de' Settesoli, la nobildonna romana. L'avrebbe rivista volentieri, avrebbe gustato ancora i *mostaccioli*, un dolce di mandorle che la donna sapeva preparare con maestria e che, durante le visite a Roma, aveva apprezzato. Fece aggiungere: *"Porta con te un panno o cilicio, per involgervi il mio corpo, e la cera per la sepoltura"*. Un frate era già pronto per partire alla volta di Roma, quando giunse la notizia che Giacomina si avvicinava alla Porziuncola. *Così Donna Jacopa entrò dal beato Francesco, scoppiando in lacrime davanti a lui. E, cosa mirabile, portava con sé il panno mortuario, color cenere, per fare una tonaca, e le altre cose contenute nella lettera, come se l'avesse ricevuta in antecedenza (Spec. Perf. 112).*

Erano accanto a lui, per volere di Dio, i primi compagni, uno stuolo di frati ed un numero considerevole di devoti.

E vinto dalla malattia grave che pose termine al suo penare, si fece deporre nudo sulla nuda terra, per potere in quell'ultima ora, in cui era dato al nemico di assalirlo, lottare ignudo con l'avversario nudo. Aspettava infatti senza tremare il trionfo, e nelle mani intrecciate stringeva la corona di giustizia. Deposto così sulla terra, spogliato dell'abito di sacco, alzò come di solito il viso al cielo e così rivolto con tutto lo spirito a quella gloria, con la sinistra coprì la ferita del lato destro, perché non si vedesse. E disse a' frati: "Io ho compiuto il mio dovere; Cristo v'insegni quanto resta da fare a voi" (II Cel. 214).

Così arrivò il giorno della liberazione.

E mentre molti frati, dei quali era padre e guida, ivi raccolti con riverenza aspettavano il beato passaggio e la benedetta fine, quella santissima anima si sciolse dalla carne, per essere assorta nell'abisso di eterna luce, e il corpo si addormentò nel Signore. Uno dei suoi frati e discepoli, assai celebre, del quale ora taccio il nome perché, ancora vivente, non vuol darsi vanto di grazia così grande, vide l'anima del Padre santissimo salire diritta al cielo sopra molte acque; ed era come una stella, ma grande come la luna, splendente come il sole, trasportata da una candida nuvoletta (I Cel. 110).

Per qualche attimo il tempo si fermò, scandito soltanto dal silenzio. Era il 3 ottobre dell'anno del Signore 1226. All'improvviso, il cielo fece da palcoscenico al volo di una miriade di allodole festanti. Forse, l'anima di Francesco s'innalzava con loro sulla via non più misteriosa degli spazi celesti.

XX
RISALENDO I DOLCI PENDII BRUMOSI

Scrisse frate Elia ai confratelli: *Se per tutti è una perdita incolmabile, speciale pericolo è per me, che egli ha lasciato nel mezzo delle tenebre, circondato da troppe occupazioni e schiacciato da mali senza numero. E perciò vi scongiuro: piangete con me, fratelli, perché il pianto mi opprime e piango per tutti voi: siamo rimasti orfani, senza padre, privati di colui che era la luce dei nostri occhi (L.F.E. 2).*

La notizia della morte di Francesco non passò inosservata. La Porziuncola, i sentieri adiacenti ed il bosco di cerri furono illuminati dalle fiaccole dei frati e dei fedeli giunti da ogni parte. Assisi, la città che per lunghi anni era rimasta in parte estranea, mostrò il proprio dolore. Tutti volevano portare l'estremo saluto al "servo" di Dio, toccarne le vesti, baciarne le mani, osservarne le stimmate: *Uno di questi, un cavaliere letterato e saggio, oltre che famoso e ben noto, di nome Girolamo, siccome - incredulo come San Tommaso - aveva dubitato della realtà di quei sacri segni, con molto impegno e coraggio cercava di muovere i chiodi e, con le sue mani, toccava le mani, i piedi e il costato del Santo, alla presenza dei frati e degli altri cittadini. Faceva così perché, palpando egli quelle vere stimmate delle piaghe di Cristo, avesse la fortuna di togliere dal proprio cuore e da quello di tutti i presenti ogni ombra di dubbio. Per questo in seguito egli fu, fra tanti altri, uno dei testi più accredita-*

ti della verità delle Stimmate: verità da lui conosciuta con assoluta certezza e che poi confermò, giurando sul santo Vangelo (Leg. Mag. XV 4).
Durante la notte fuochi e fiaccole restarono accesi; non si spensero nemmeno i canti che avevano accompagnato le ultime giornate di Francesco.
All'alba, un corteo lunghissimo e commosso prese il via, risalendo i dolci pendii brumosi. Un "serpentone" di anime sortiva dal bosco e scortava l'umile "re della luce". Infine, i bagliori si affievolirono e al loro posto si agitarono tanti ramoscelli d'olivo.
A San Damiano il corteo si arrestò per una breve sosta. C'era una promessa da mantenere: l'estremo saluto alle Sorelle. Venne rimossa la piccola grata attraverso la quale le Damianite erano solite comunicarsi; dietro di essa le pie donne, in lacrime, attendevano il loro turno per riporre lo sguardo sul corpo di Francesco. *E guardandolo fisso con gli occhi gonfi di lacrime, moltiplicando i sospiri e gemendo dal profondo del cuore, cominciarono con voce soffocata ad esclamare: "Padre, Padre, che cosa faremo? perché abbandoni noi misere? O a chi ci lasci così desolate? perché non ci hai permesso di precederti festose là dove vai tu, invece di lasciarci qui dolenti? Che cosa vuoi che facciamo noi rinchiuse in questo carcere, se tu non verrai più a visitarci, come solevi? Con te se ne va ogni nostra consolazione, e nessun sollievo rimane per noi, sepolte al mondo! Chi ci aiuterà in tanta povertà di meriti, non meno che di beni materiali? O padre dei poveri, amante della povertà! Chi ci soccorrerà nelle tentazioni, o tu che tante ne avevi provate e sapevi sì bene conoscerle? Chi nell'ora della tribolazione ci consolerà, o conforto nelle tribolazioni, che già in abbondanza ci hanno visitate? Amarissima*

separazione, terribile partenza! O morte crudelissima che uccidi tante migliaia di figli e figlie privandoli di tal Padre, e ti affretti a strapparci inesorabilmente colui per la cui opera il nostro zelo, se pur ne abbiamo, raggiunse il massimo vigore!" (I Cel. 117).

Alcuni storici affermano che Chiara e le compagne uscirono dall'edificio, avvicendandosi accanto al feretro. Inginocchiate, baciando quelle membra martoriate, si caricarono di nuove energie. Ora, che il Padre non c'era più, dovevano splendere di propria luce. Così avrebbe voluto Francesco. E con questa promessa lo lasciarono partire.

Il corteo riprese a salire, varcò la porta della città e si fermò davanti alla chiesa di San Giorgio.

L'avrebbero provvisoriamente sepolto lì, accanto ai ricordi dell'infanzia e dell'adolescenza, a quelli legati ai primi contatti con il Signore, in attesa che un grande tempio ne custodisse definitivamente il corpo.

XXI
IL COLLE DEL PARADISO

Il trapasso di Francesco non fece dimenticare agli uomini le sue opere. Negli anni successivi l'immagine del Santo venne accresciuta da numerosi interventi miracolosi.
Si racconta che a Roma una nobile donna soleva tenere un dipinto di Francesco nella propria camera. Si accorse però che esso non portava i segni delle stimmate. A causa di ciò fu presa da un opprimente stato d'ansia, nonostante quella mancanza fosse del tutto normale per una riproduzione composta prima dell'eccezionale evento. Non riuscì a darsi pace fino a quando, finalmente, due gemme rosso vermiglio si aprirono sulle mani del Santo. A tale vista la donna pensò che il mutamento nel quadro potesse essere frutto della suggestione. Chiese quindi conferma alla figlia la quale, a sua volta, vide le piaghe. I dubbi stavano diventando angoscianti; ma pensò la Provvidenza a far scomparire le stimmate. Così, a quel primo miracolo se ne aggiunse un secondo.
Sotto il segno delle stimmate di San Francesco numerosi altri prodigiosi episodi vengono narrati dai primi biografi, uno di essi vale di essere raccontato. Nella città di Potenza viveva un sacerdote di nome Ruggero, canonico della Cattedrale. Questi, pregando davanti all'immagine del Santo, dubitò delle inequivocabili ferite quando avvertì un lancinante dolore alla mano sinistra. Essa era stata come

trapassata da una freccia invisibile. Tra il dolore insopportabile capì che la piaga rispondeva alla sua incredulità. Trascorse alcuni giorni pregando e riconoscendo le sue colpe; infine, giunse, risolutore, il perdono: il dolore andò scemando sino a scomparire del tutto e con esso i segni della ferita.
Tra le testimonianze miracolose accreditate alla figura di Francesco molte si riferiscono alla resurrezione di alcuni devoti. In una cittadina siciliana un ragazzo, intento ai lavori della vendemmia, fu investito da una catasta di legna e sassi. Il padre, accortosi della disgrazia, non ebbe altra forza che quella di gridare aiuto; quando giunsero alcuni vicini si riuscì a liberare il giovane dal peso che gli era rovinato addosso, ma ormai la morte si era impossessata di lui. Il padre, affranto dal dolore, invocò, tra preghiere e grida strazianti, l'aiuto di San Francesco, promettendo, qualora fosse stato ascoltato, un pellegrinaggio alla tomba di Assisi. Quel viaggio si fece di lì a poco in quanto il ragazzo, d'incanto, si era ripreso e dal suo corpo erano scomparsi i segni della disgrazia. Testimoniò ai presenti che era stato proprio Francesco a restituirgli la vita.
Un ragazzetto di Monte Celano si era recato in un campo, assieme ad alcuni coetanei, per falciare. L'erba alta aveva occultato l'apertura di un profondo pozzo pieno d'acqua. Senza rendersene conto, lo sfortunato ragazzo pose un piede in fallo, ma durante la caduta aveva avuto la prontezza di invocare il Serafico Padre. I compagni, andati a chiedere aiuto, erano tornati sul posto in compagnia di un uomo che non ebbe esitazione a calarsi nel pozzo. Costui, esterrefatto, vide che il ragazzo era seduto sull'acqua. Nella caduta l'invocazione al Santo era stata raccolta.
Anche alcune storie marinare parlano dei miracoli di

Francesco: *Alcuni marinai di Ancona, sballottati da una furiosa tempesta, si videro in imminente pericolo di naufragio. Pur disperando di sopravvivere, però, essi invocarono con tutta fiducia san Francesco. Allora apparve sulla nave una gran luce, e, con la luce, una gran bonaccia fu concessa dal cielo, come se il Santo, nella sua meravigliosa potenza, avesse anche quella di comandare ai venti e al mare (Leg. Mag. Mirac. IV 5).*
Tra i miracoli operati dopo la morte molti sono gli episodi che riguardarono persone liberate dal carcere, donne salvate dai pericoli del parto, ciechi che riacquistarono la vista, malati guariti dalle infermità. Tali testimonianze, raccolte dai compagni di Francesco, andarono ad infoltire il fascicolo relativo alla sua canonizzazione.
Il 16 luglio 1228, a poco meno di due anni dal trapasso del "Poverello", il cardinale Ugolino in persona, divenuto papa con il nome di Gregorio IX, si recava in Assisi e con grande solennità proclamava la santità di Francesco. Il giorno dopo lo stesso pontefice benediceva la prima pietra di un tempio che avrebbe assunto dimensioni monumentali e dato degna custodia alle spoglie del Santo.
Francesco avrebbe approvato tanta grandezza? Rispondiamo con un breve passo di Ubertino da Casale, contenuto nel brano relativo alla figura di frate Egidio: ... *per la indubitabile riverenza che aveva* (Egidio) *verso il santo padre beato Francesco, sosteneva che sul suo corpo si dovesse erigere una chiesa di rilievo, che servisse a insinuare nel popolo, impastato nei sensi, l'idea della eminente santità di lui. Ma tutti gli altri edifici li aveva in grandissimo orrore.*
Alcuni affermano che il Santo avesse espresso, nelle ultime disposizioni, la volontà di essere riposto nel luogo più triste

della città: il Colle detto dell'Inferno (sta per Inferiore), un posto brullo e sinistro, situato nella sezione nord-occidentale di Assisi, ove venivano consumate le esecuzioni capitali. Nel giro di pochi anni quel luogo venne sottoposto ad una straordinaria mutazione; riapparvero persino le rondini e assunse l'appellativo di Colle del Paradiso.
L'edificazione della Chiesa procedette a ritmo talmente sostenuto che la traslazione del Corpo avvenne il 25 maggio 1230. Una prima consacrazione si ebbe il 4 ottobre 1235, a costruzione ancora incompleta; la consacrazione definitiva fu celebrata da Innocenzo IV nel 1253. Gli ambienti vennero esaltati dalla presenza dei maggiori artisti italiani del tempo: Cimabue, Giotto, Simone Martini e Pietro Lorenzetti.
La Basilica di San Francesco è uno dei più importanti e splendidi templi della cristianità. In essa, ogni anno, milioni di fedeli, provenienti da tutto il mondo, pregano e invocano quel silenzio che ha reso grande e universale questo Figlio di Dio.
San Francesco è stato proclamato Patrono d'Italia, da Pio XII, nel 1939.

VITA DI SAN FRANCESCO
(CRONOLOGIA ESSENZIALE)

1181: In Assisi nasce Francesco, da Pietro di Bernardone e da Madonna Pica; alcuni storici ritengono che la data debba essere anticipata di un anno. Qualcuno ha persino voluto indicare nel 26 settembre il giorno della venuta al mondo, ma dobbiamo ritenere trattarsi di pura convenzionalità.

1193: In Assisi nasce Chiara, da Favarone Offreduccio e da Ortolana Fiumi.

1198: Viene eletto papa Innocenzo III (8 gennaio); energico e saggio sarà una figura importantissima per la nascita e per lo sviluppo dell'Ordine francescano.
Il popolo assisano, inasprito dallo strapotere imperiale, attacca la Rocca e mette in fuga il governatore tedesco. C'è aria di libertà nella città e Francesco, a soli 17 anni, rumoreggia insieme ad altri giovani. Egli è presente anche nella lotta tra il popolo ed i nobili di Assisi; questi ultimi, sconfitti, sono costretti a riparare nella vicina Perugia.

1200: Gli esuli, dopo aver stretto alleanza con Perugia, ottengono la promessa di aiuto a recuperare il potere in Assisi.

1202-1203: E' guerra tra Perugia ed Assisi. Francesco è tra i combattenti. Viene fatto prigioniero. Sarà liberato soltanto dopo alcuni mesi, dietro un consistente riscatto. Ma è in preda ad una malattia.
La città di Assisi viene colta da scomunica perché non riconosce il potere della Chiesa.

1204: La città nomina un podestà nel segno dell'autonomia. Si inasprisce la contesa con la Chiesa che ricorre all'interdetto.

1205: Francesco desidera diventare cavaliere; parte per le Puglie, ma a Spoleto un sogno premonitore lo consiglia di tornare a casa. E' turbato, lascia definitivamente la comitiva di amici, incontra un lebbroso, lo bacia: è un momento cardine della sua esistenza.

1206: Il giovane è sempre più alla ricerca di luoghi solitari che lo invitino alla meditazione e alla preghiera. Incontro con il Crocifisso di San Damiano. Inizia il restauro della chiesetta. Si porta a Roma, pellegrino alla tomba di Pietro; qui dona le sue cose ai poveri.
Al termine di un lungo contrasto con il padre, Francesco rinuncia ai beni davanti al vescovo Guido II. E' il momento più importante della sua vita. Ha inizio il cammino verso il Signore.

1208: Il riparatore di chiese ultima il restauro di San Damiano; volge il suo interesse alle chiesette di San Pietro della Spina e di Santa Maria della Porziuncola.
Alla Porziuncola (24 febbraio), dopo la messa, Francesco chiede al sacerdote se la

sua interpretazione sul Vangelo sia giusta: sarà la povertà la vera regina del mondo. Si uniscono i primi compagni: Bernardo, Pietro di Cattanio, Egidio; alla fine dell'anno saranno dodici. Iniziano le prediche ed i viaggi.

1209: I "Penitenti" si recano (in primavera) a Roma. Sono ricevuti da Innocenzo III che ne approva oralmente la regola e le intenzioni. Al ritorno i frati fanno vita comunitaria nel tugurio di Rivotorto.

1210: I frati si spostano alla Porziuncola, proprietà dei monaci benedettini del Subasio, che diverrà il centro di irradiazione del francescanesino.

1211: Continuano le prediche nelle regioni limitrofi. Francesco tenta di raggiungere la Siria.
Nasce il Terzo Ordine Francescano, il ramo secolare del movimento.

1212: Chiara fugge da casa e viene consacrata a Dio (18-19 marzo). Trova prima rifugio presso le benedettine di Bastia Umbra e poi a Sant'Angelo di Panzo; in ultimo si stabilisce a San Damiano ove nasce il movimento delle Damianite.
A Roma, Francesco conosce Giacomina de' Settesoli, una nobile votata alla carità.

1213: Altre predicazioni. A San Leo, l'8 maggio, il conte Orlando di Chiusi fa dono a Francesco del Monte della Verna.
Il Penitente inizia il viaggio verso il Marocco, ma una malattia, in Spagna, lo costringe ad interrompere la missione.

1215: Francesco è presente (in novembre) al Concilio Lateranense IV durante il quale si discutono l'unificazione della Chiesa, le misure da adottare nei confronti delle eresie e l'organizzazione di una crociata.

1216: Muore a Perugia Innocenzo III (16 luglio) e gli succede Onorio III (18 luglio). Francesco ottiene l'Indulgenza della Porziuncola.

1217: Nel Capitolo di Pentecoste (5 maggio) si discute della organizzazione del movimento e si decidono nuove missioni in Siria, Marocco, Germania, Spagna e Ungheria.
Francesco parte per la Francia, ma a Firenze il cardinale Ugolino lo consiglia di restare in Italia. La sua presenza è indispensabile per dare unità all'Ordine.

1219: Nel Capitolo (26 maggio) si segnala, ancora una volta, la necessità di nuove missioni in Europa ed in Oriente.
Il 24 giugno Francesco parte per l'Egitto al seguito della crociata. A Damietta incontra il sultano Meleck-el-Kamel.

1220: Cinque frati vengono martirizzati in Marocco (gennaio).
Francesco torna in Italia, dopo aver probabilmente visitato la Terrasanta.
Viene a conoscenza che durante il Capitolo sono state prese decisioni contrarie alle primitive intenzioni.
Il cardinale Ugolino viene nominato "protettore" dell'Ordine.
Francesco, pur continuando ad essere il capo spirituale, consegna a Pietro di Cattanio la guida del movimento.

1221: Muore Pietro di Cattanio (10 marzo) e viene nominato vicario (probabilmente alla fine di maggio) frate Elia. Si tiene alla Porziuncola il famoso Capitolo delle Stuoie (30 maggio) ove viene discussa ed approvata la *Prima Regula*, dettata da Francesco.
Nuove missioni vengono decise in direzione della Germania.
Onorio III approva il *Memoriale Propositi*, codice dei francescani secolari.

1222: Nuove predicazioni di Francesco in Italia.

1223: Francesco detta, a Fonte Colombo, una nuova Regola da sottoporre al Capitolo dell'11 giugno. Con alcune correzioni essa viene approvata da Onorio III (29 novembre).
Rappresentazione del Natale a Greccio.

1224: Nel Capitolo di Pentecoste (2 giugno) viene decisa una missione in Inghilterra.
Francesco, malato, parte per il Monte della Verna, ove riceve le Stimmate (14 settembre).

1225: All'inizio della primavera è a San Damiano dove viene curato dalle Damianite.
Detta il *Cantico delle Creature*.
Elia ed il cardinale Ugolino lo consigliano di recarsi a Rieti per avere le cure dei medici della Curia Papale. Qui gli vengono cauterizzate le tempie, ma il male non regredisce.

1226: E' condotto a Siena (aprile) per un estremo tentativo di guarigione. Credendosi prossimo al trapasso detta il *Testamento*.
Cogliendo uno sprazzo di miglioramento viene riportato in Assisi ed alloggiato nel Palazzo del Vescovo. Riesce a conciliare, dopo lungo contrasto, il podestà Berlingerio e Guido II.
Muore il 3 ottobre, alla Porziuncola.
Il giorno dopo il corteo funebre muove verso la città ed osserva una sosta a San Damiano.
Il corpo del Santo viene custodito nella Chiesa di San Giorgio.

1227: Muore Onorio III (18 marzo); gli succede Gregorio IX, il cardinale Ugolino.

1228: Gregorio IX canonizza Francesco (16 luglio). Il giorno successivo benedice la prima pietra per la costruzione di una grande basilica.

1230: Il corpo di Francesco viene traslato nella costruenda Basilica a lui dedicata (25 maggio).

BIBLIOGRAFIA

ATTAL S., *Frate Elia compagno di San Francesco*, Ed. Fides, Genova, 1953.

BARGELLINI PIERO, *San Francesco d'Assisi*, 1941.

BONAVENTURA DA BAGNOREGIO, *Vita di San Francesco d'Assisi (Legenda Maior)*, traduzione di Pietro Ettorre, note di Luciano Canonici, Edizioni Porziuncola, S.M.Angeli, 1994.

BROGLIATO BORTOLO, *Assisi, incontro vivo con Frate Francesco e Sorella Chiara*, L.I.E.F. Edizioni, Vicenza, 1976.

CANONICI LUCIANO, *Francesco d'Assisi*, Edizioni D.A.C.A., Assisi.

CANONICI LUCIANO (a cura di), *I Fioretti di San Francesco*, Edizioni Porziuncola, S.M.Angeli, 1982.

CARRETTO CARLO, *Io, Francesco*, Cittadella Assisi/Messaggero Padova, 1980.

DALLARI PRIMO, *Il dramma di Frate Elia*, U.E.I., Milano, 1976.

DOYLE ERIC, *Francesco e il Cantico delle Creature*, Cittadella Editrice, Assisi, 1982.

FEUILLET MICHEL, *Francesco d'Assisi*, Armando Dadò Editore, Locarno, 1993.

Fonti Francescane, 2 voll., Movimento Francescano, Assisi, 1977.

FORTINI ARNALDO, *Nova Vita di San Francesco d'Assisi*, Milano, 1926.

FRANCESCHINI EZIO (a cura di), *La leggenda dei Tre Compagni*, Vita e Pensiero, Milano, 1945.

GALLO ANTONIO, *Il romanzo di Frate Elia*, Luce Serafica, Napoli, 1977.

GIORDANO DA GIANO, *Vita di San Francesco*, volgarizzata da Felice Ramorino, Libreria Editrice Fiorentina, Firenze, 1932 (in *Le prime vite di S. Francesco e di S. Antonio*).

GIOVANNI PAOLO II, *Con Francesco nella Chiesa*, Presentazione di P.Flavio Carraro, introduzione di P. Gianfranco Grieco, Libreria Editrice Vaticana, Città del Vaticano, 1983.

IACOVELLI ANACLETO, *Vita di San Francesco d'Assisi*, Casa Editrice Francescana, Assisi, 1984.

JOERGENSEN GIOVANNI, *San Francesco d'Assisi*, Edizioni Porziuncola, S.M.Angeli, 1975.

LAINATI CHIARA AUGUSTA, *Santa Chiara d'Assisi*, Edizioni Porziuncola, 1988.

Leggenda di San Francesco dell'Anonimo Perugino, volgarizzata da Felice Ramorino, Libreria Editrice Fiorentina, Firenze, 1932 (in *Le prime vite di S. Francesco e di S. Antonio*).

MAGRO PASQUALE, *Francesco d'Assisi*, Edizioni Paoline, Roma, 1981.

MANSELLI RAOUL, *San Francesco d'Assisi*, Roma, 1980.

MARIANO DA ALATRI (a cura di), *I Fioretti di San Francesco*, Edizioni Paoline, Milano, 1961.

MONTORSI GIAMBATTISTA, *Francesco di Assisi nei suoi scritti e nelle antiche biografie*, Edizioni Fiamma Nova, Roma.

POLIDORO GIANMARIA, *Francesco uomo cristiano*, Edizioni Porziuncola, S.M.Angeli, 1981.

ROSSI BERARDO, *Invito a Francesco d'Assisi*, Rusconi, Milano, 1982.

SCIAMANNINI RANIERO, *San Francesco d'Assisi*, Angelo Signorelli Editore, Roma, 1953.

SABATELLI GIACOMO, *Gli scritti di San Francesco d'Assisi*, Edizioni Porziuncola, S.M.Angeli, 1975.

SABATIER PAUL, *Vita di San Francesco d'Assisi*, Mondadori, Milano, 1978.

Scritti di San Francesco (traduzione di Giorgio Racca), Casa Editrice Francescana Assisi/ Edizioni Porziuncola S.M.Angeli, 1986.

Specchio di perfezione (Lo), volgarizzato da Francesco Pennacchi, Società Editrice Toscana, Sancasciano Val di Pesa, 1925.

STANISLAO DA CAMPAGNOLA, *Francesco d'Assisi nei suoi scritti e nelle sue biografie dei secoli XIII-XIV*, Movimento Francescano Editore, Assisi, 1977.

TOMMASO DA CELANO, *Vita di San Francesco d'Assisi e Trattato dei miracoli,* traduzione di Fausta Casolini, Edizioni Porziuncola, S.M.Angeli, 1976.

INDICE

ISBN 88-8040-032-0

ITALCOMM s.n.c.
Via delle Industrie, sn - 06083 Bastia Umbra PG
ITALIA
Tel. 075 - 8011324 - Fax 075 - 8010593
Numero Verde (chiamata gratuita) 167 - 013373